SEXE
SANS COMPLEXE

SEXE
SANS COMPLEXE

BÉRANGÈRE **PORTALIER**

ILLUSTRATIONS

FRÉDÉRIC **RÉBÉNA**

ACTES SUD junior

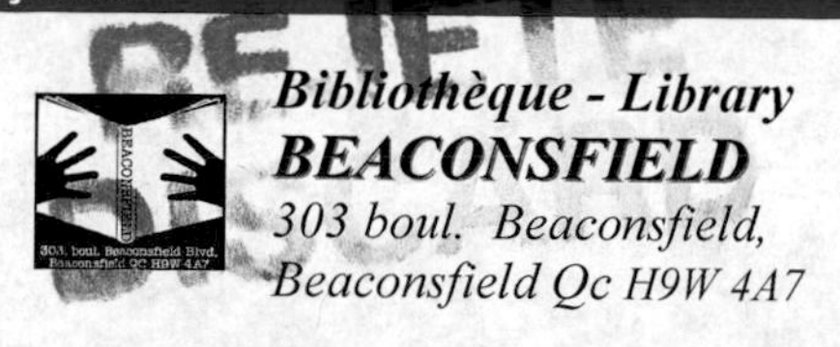

- SOMMAIRE -

NICE TO MEET YOU !

Commençons par un petit exercice, en mode "Connais-toi toi-même". Une feuille, un crayon, et hop ! Dessine ton sexe, comme ça, de tête, le plus en détail possible.
Puis profite d'un moment tranquille, quand tu seras sûr(e) de ne pas être dérangé(e), pour le regarder vraiment. Sans honte, sans traquer le défaut, juste par curiosité. Parce qu'il est normal que tu aies déjà vu chaque partie de ton corps, sexe inclus, et pour faire tomber tous ces fantasmes* qui font peur ou qui induisent en erreur.

Pour les filles, il faut impérativement un miroir. Et puis il ne faut pas hésiter à explorer l'intérieur du vagin* aussi, parce que ton sexe, ce n'est pas seulement la vulve*, à l'extérieur ! Si tu es un garçon, tu peux aussi utiliser un miroir de poche pour examiner ta verge* sous un angle différent, vu de dessous et pour mieux visualiser le scrotum*.
La forme, les textures, les couleurs, l'implantation des poils... c'est très compliqué un sexe. Ça ne se résume absolument pas à un trou ou un .
Maintenant que tu as vu les choses en détail, tu ne dessineras probablement plus ton sexe de la même façon. Par exemple, le sexe d'une fille n'est pas un trou béant. Les deux parois du muscle se touchent et sont suffisamment élastiques pour laisser passer ce qu'on y introduit. Donc il n'y a pas de vagin large ou de vagin serré. Les seules différences que l'on peut trouver, ce sont des muscles plus ou moins souples ou toniques. Si on se représente plus facilement ce qu'est une verge, elle reste très intrigante. Elle n'est ni un petit animal apeuré ni une arme dangereuse. Elle n'est pas dissociable du garçon dont elle fait partie. Elle n'agit pas toute seule. La verge, c'est la partie du corps des hommes qui permet la pénétration*.

Y a pas que le sexe dans la vie

Tant que tu as un miroir, profites-en pour regarder le reste de ton corps. Juste avec bienveillance, pour garder le contact. Comme avec les amis, si on n'entretient pas régulièrement la relation, on finit par se perdre de vue !

Le plus difficile, c'est de réussir à se regarder en oubliant ce que les autres ont dit de nous. Ta famille, tes proches t'ont sans doute transmis beaucoup de choses qui influencent l'image que tu te fais de ton corps. On t'a dit que tu ressemblais à ton père ou à ta mère, que tu avais les jambes arquées ou des kilos en trop. Peut-être t'a-t-on dit au contraire que tu étais l'être le plus magnifique que la Terre ait jamais porté ? On connaît bien ce que les autres pensent de nous, et ça fait comme un filtre devant nos yeux qui nous empêche de nous faire notre propre opinion. Alors toi, et toi seul(e), quelles sont les parties de ton corps que tu trouves jolies ? Où est l'endroit le plus doux ? Le plus complexe ? Le plus inattendu ?

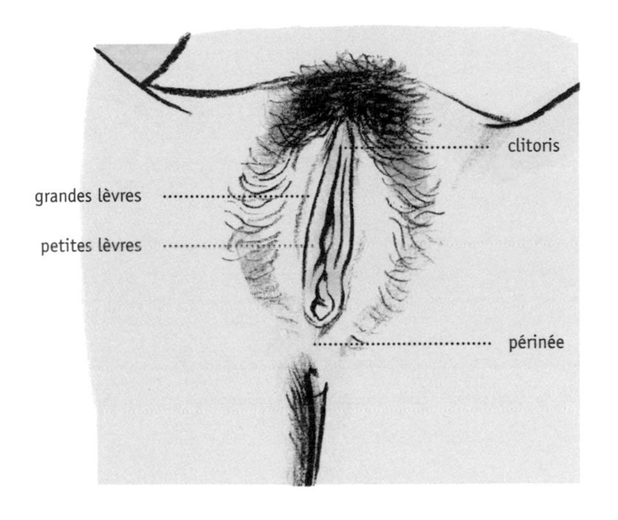

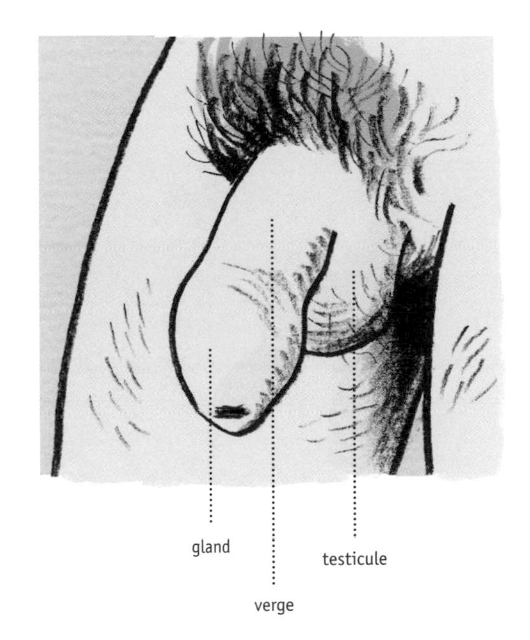

"Ça ne pose aucun problème de ne vouloir ressembler à personne d'autre qu'à soi. Ayez confiance en vous. Après tout, je m'en suis moi-même plutôt bien tiré."

ZLATAN IBRAHIMOVIĆ

IL FAUT BEAUCOUP S'AIMER

Est-il bien raisonnable d'utiliser des crèmes qui lissent les testicules*, d'autres pour s'éclaircir l'anus, d'avaler des gélules pour changer l'odeur du corps ? A-t-on vraiment besoin de serviettes hygiéniques multicouches avec des ailettes profilées sur les côtés, un voile protecteur dessus et un système anti-odeurs paré pour une guerre nucléaire ? Faut-il mettre des protège-slips au quotidien, comme ça, sans raison, juste pour protéger son slip[1]... ?

Si l'on en croit les publicités, notre corps, et particulièrement notre sexe, est un truc dégoûtant qui pue, qui suinte, qui est sale et moche. Plus ça va, plus on nous crée des problèmes et des complexes pour nous vendre des solutions "miracles". C'est un procédé marketing pour développer le commerce, et beaucoup n'hésitent pas à cultiver une véritable haine du corps pour pouvoir vendre leurs produits. La mode et les magazines nous font aussi beaucoup de mal en ne nous donnant en exemples que des corps "parfaits", tous semblables mais très éloignés de la réalité. Ce sont des stéréotypes*. Mais toi, tu es un garçon en particulier, ou une fille en particulier, ça s'appelle être unique, et c'est important. Tu es aimé(e) et seras aimé(e) pour ta singularité.

La vérité sous les vêtements

Tu as peut-être déjà remarqué que tu as un œil plus petit que l'autre, un pied moins long

1. Mais de quoi ? D'une sournoise attaque d'un sexe vengeur ? Le slip n'était-il pas censé déjà protéger le pantalon ? Doit-on ajouter quelque chose pour protéger le protège-slip ?

que l'autre. Si tu es un garçon, ta verge en érection ne marque sans doute pas midi, mais plutôt onze heures ou une heure. Si tu es une fille, tu as probablement un sein qui trouve la vie plus lourde que l'autre. Nous sommes tous asymétriques, c'est normal. Si tu tapes "photos de visages symétriques" sur un moteur de recherches, tu trouveras des montages photo qui montrent à quel point un physique symétrique est dérangeant.
Ton corps n'est pas bizarre, ni sale. Pour être propre, il suffit de se laver tous les jours. C'est tout. Les poils ont une fonction : ils régulent la transpiration, ils protègent les zones sensibles. Ils poussent là où ton corps a besoin d'eux. Ton sexe a une odeur, une odeur de sexe, et il n'y a aucune raison de la trouver repoussante, c'est même pour beaucoup un puissant aphrodisiaque*. Le vagin des filles est d'autant moins dégoûtant qu'il est autonettoyant. Inutile de t'acharner à le laver toi-même. Tu ne ferais qu'affaiblir tes défenses naturelles.

À nul autre pareil

Tu as besoin d'aimer ton corps suffisamment pour pouvoir le montrer quand le moment sera venu de faire l'amour. Avoir un rapport sexuel en rentrant le ventre pour cacher ses kilos, c'est le chemin le plus sûr pour ne pas éprouver de plaisir. Ton corps est imparfait ET aimable. Chaque caractéristique de ton corps sera une occasion d'émouvoir ton/ta partenaire, de lui donner envie de te découvrir, de te connaître en détail. Si tu devenais complètement lisse, semblable à n'importe qui, comment quelqu'un pourrait-il aimer ton corps en particulier ?

PARTIR SUR DE BONNES BASES

On dit que la société occidentale
n'a aucune culture du bien-être du corps.
C'est vrai. D'autres cultures ont développé
des traditions de méditation, de massages,
le yoga, le taï-chi... et chez nous, rien !
Entre la peur de la saleté, l'angoisse
de la performance et le culte des corps
formatés, on se retrouve finalement
à ne plus "habiter son corps". Certains
le traînent comme un boulet, d'autres
cherchent à le dominer et à le contraindre
pour correspondre aux modes, une bonne
partie s'en désintéresse. Finalement peu
de gens écoutent vraiment ce que le corps
a à dire, et accordent de l'importance à ses
besoins, ses douleurs, ses plaisirs... Suivant
tes goûts et tes possibilités, essaie d'avoir
une activité régulière avec ton corps.
Un sport, de la méditation, des sorties
au hammam, des massages. Cela n'a rien
de sexuel. Mais connaître le fonctionnement
de ton corps, ses limites, ses sensations,
sa façon de bouger, reste la meilleure base
pour t'épanouir sexuellement.

CANONS DE BEAUTÉ

Si on regarde Ryan Gosling ou Cara Delevingne, leur beauté nous paraît évidente. Nous savons de façon tellement spontanée ce qu'est un beau corps ou un corps laid que l'on pense souvent que ces critères sont naturels. Et pourtant non. Les canons de beauté* changent constamment.

Les hommes préhistoriques sculptaient des corps de femmes énormes, appelées Vénus paléolithiques. À la Renaissance, on aimait bien les femmes rondelettes. Dans les années 1970, l'idéal était d'être mince comme un fil. Nous assistons actuellement à un retour en force des grosses fesses, avec Kim Kardashian et Beyoncé. Chez les hommes, certaines époques ont valorisé les tas de muscles, d'autres les freluquets, et d'autres encore les grassouillets.

La logique de la beauté

Les canons de beauté sont liés aux conditions d'existence d'une population, et à comment une élite réussit à se démarquer des autres. Quand la nourriture manque et que tout le monde est famélique, seuls les plus riches peuvent se payer le luxe d'être bien en chair ; le gras fait alors rêver. Dans notre société occidentale actuelle, la malbouffe des populations les plus pauvres fait grossir. La minceur extrême est donc un luxe raffiné. Dans certains pays chauds, une peau trop foncée est parfois associée au dur labeur des champs, sous le soleil, et on cherche à s'éclaircir la peau en signe d'un mode de vie plus confortable. En Europe au contraire, on se trouve trop pâle et la majorité voudrait être bronzée comme si elle était constamment en vacances à la plage. Le lien entre beauté et signes de richesse est bien présent.

Panique dans les slips !

Aujourd'hui, des préoccupations inédites émergent avec l'apparition de canons de beauté des parties génitales. Le calibrage de l'espèce humaine s'immisce dans nos slips ! Certains se

rendent compte que leur anatomie ne correspond pas à ce nouveau diktat et se mettent à en souffrir. En conséquence, les actes de chirurgie esthétique du sexe explosent. Il faut vraiment lutter contre ça. Il y a autant de formes de sexes que de formes de corps. Vouloir un sexe calibré et certifié conforme est aussi effrayant que vivre dans un monde constitué de clones. Côté filles, les adolescentes semblent s'être soudainement mises à détester les petites lèvres qui dépassent des grandes. Pourquoi ? Mystère ! C'est aussi surprenant qu'une personne qui ne supporterait plus que son majeur soit plus long que son index. Côté garçon, on reste en général sur la peur d'avoir un sexe trop petit ou trop fin. Pourtant les filles se plaignent rarement d'un petit pénis. Elles redoutent plutôt les pénis trop gros qui risquent de leur faire mal. On appelle cette angoisse masculine le "syndrome du vestiaire" : en réalité, les garçons ont surtout du mal à assumer la taille de leur sexe face à leurs copains.

Les goûts et les couleurs

Il est souvent difficile de vivre avec un surpoids pendant l'adolescence. Et après en avoir souffert des années, on se rend compte petit à petit que plein de gens aiment avoir un partenaire sexuel, et de vie, qui soit un peu enrobé. Bon nombre d'hommes aiment bien avoir "quelque chose à se mettre sous la main". De même, beaucoup de femmes sont attachées au petit bidon de leur mec. L'inverse marche tout aussi bien. Certaines filles souffrent de se voir comme des planches à pain, et beaucoup de jeunes hommes ne se trouvent pas assez musclés. Mais ce sera justement leur carrure fine qui plaira à leur partenaire. Tous les goûts sont dans la nature. Il est plus simple, dans la rue, de correspondre aux canons physiques à la mode mais, dans l'intimité, ce sont de toutes autres règles qui s'imposent.

LA TYRANNIE DU GROUPE

L'adolescence et la post-adolescence sont des moments de la vie où l'opinion des autres compte beaucoup. Cela confine parfois à ce qu'on appelle "la tyrannie du groupe". Certains se moquent de particularités physiques d'un camarade pour affermir leur autorité sur leur bande d'amis. Si jamais tu es l'objet de moqueries sur ton physique, tu dois comprendre que tu n'es pas victime de ton corps, mais plutôt de la cruauté d'un groupe. C'est une bataille pour la domination et le pouvoir, pas un concours de beauté. La caractéristique de ton corps qui est moquée n'est qu'une excuse, donc ça ne sert à rien de te cacher. C'est sur la vanne qu'il faut réagir. Au fil du temps, la cruauté du groupe se diluera et les moqueries cesseront.

"Hé, ne te moque pas de la masturbation !
C'est faire l'amour à quelqu'un que l'on aime !"
WOODY ALLEN

LA MASTURBATION SEPT MILLIARDS DE CONSOMMATEURS !

Se donner du plaisir sexuel tout seul, tranquille, ça s'appelle la masturbation. Puisque la nature nous a doté d'un sexe, de pulsions sexuelles et de mains, il n'y a pas de mal à se faire du bien ! Certains ont du mal à accepter leur envie de se masturber, mais pourquoi lutter ? Même Sœur Emmanuelle[2] expliquait s'être masturbée de son enfance jusque tard dans sa vieillesse.

Le bébé découvre la masturbation très tôt. Souvent, dès qu'on lui enlève la couche et qu'il peut avoir un accès facile à son sexe. Parfois, certains s'arrêtent en grandissant, pour reprendre leur exploration sexuelle à l'adolescence. D'autres continuent tout au long de leur vie. C'est bien normal de profiter de ce plaisir qui ne coûte rien, qui relaxe, et qui permet d'entretenir un rapport bienveillant à son corps. Même quand on se met en couple, il n'y a pas de raison de s'arrêter, car la masturbation n'est pas la conséquence d'une misère sexuelle. Elle permet de se connaître, elle prépare et entretient la vie sexuelle, par les sensations qu'elle procure mais aussi par les fantasmes auxquels on fait appel au moment de se donner du plaisir. Se permettre d'avoir des rêveries érotiques, se représenter des situations qui nous excitent, c'est enrichir sa libido*.

2. Sœur Emmanuelle était une religieuse très connue pour son franc-parler et son engagement auprès des populations pauvres du Caire.

Quelques techniques connues

La masturbation concerne quasiment tout le monde. Chacun développe sa ou ses techniques. Certains se masturbent toujours de la même façon, dans la même position, en stimulant les mêmes zones. D'autres tentent des choses différentes à chaque fois. Certaines filles se masturbent en se caressant le clitoris. Il existe aussi la technique du coussin à frotter entre les jambes. Le jet de la douche trouve également beaucoup d'adeptes. Tout ceci est parfois complété par des caresses de la poitrine. D'autres explorent la pénétration vaginale avec les doigts, ou un objet adéquat. Dans ce cas, un minimum d'hygiène s'impose car la muqueuse* vaginale supporte mal la saleté ! Chez les garçons, la masturbation consiste principalement à tenir sa verge dans sa main et à pratiquer des mouvements de va-et-vient. Il est aussi possible de trouver du plaisir en s'allongeant sur le ventre et en se frottant. Certains garçons font des mouvements rapides, d'autres plus lents. On peut presser son sexe plus ou moins fort. On peut aussi se caresser les testicules* dans le même temps, ou stimuler le gland*. Certains et certaines regardent des films pornographiques en même temps. D'autres peuvent solliciter leur anus. C'est facile et anodin, pas prise de tête ! À partir du moment où tu n'y vas pas trop fort, pour ne pas te faire mal, tu peux te permettre de vivre cela en toute simplicité.

LE PLAISIR SOLITAIRE SANS S'ISOLER

L'adolescence est généralement la période pendant laquelle on se masturbe le plus souvent. Beaucoup de jeunes se masturbent plusieurs fois par jour. Ça ne pose absolument aucun problème tant qu'il ne s'agit pas de se cloîtrer derrière son ordinateur sans jamais mettre un pied en dehors de sa chambre. La masturbation fait partie de la vie mais ne doit pas créer d'isolement ! Si tu sens qu'il y a un problème, que tu te retrouves à t'enfermer des heures pour te masturber de façon compulsive, le mieux serait que tu puisses en parler à une personne de confiance ou à un professionnel, psy ou médecin, pour éviter que cela ne t'empêche d'aller vers les autres et d'avoir accès au reste de la vie et de la sexualité.

"Je me suis réveillée le lendemain matin, comme tous les matins, et j'ai repris mon train-train quotidien (…) Aucune vanne n'avait sauté, aucun coffre-fort n'avait libéré ma véritable féminité. J'étais, et je demeurais moi."

LENA DUNHAM

LA VIRGINITÉ BEAUCOUP DE BRUIT POUR RIEN

Gros enjeu au lycée, le jeu du "kicékacouché ?" occupe une bonne partie du temps des commères. En France, l'âge moyen du premier rapport sexuel est de dix-sept ans et quelques mois. Cela veut donc dire que certains ont commencé bien plus tôt et d'autres bien plus tard ! Chacun doit mûrir à son rythme, et les autres feraient mieux de ne pas s'en mêler.

On apprend à faire l'amour avant le premier rapport

Généralement, on considère qu'on a eu un rapport sexuel quand il y a eu pénétration vaginale ou anale. C'est théorique : dans la vraie vie, la frontière entre "une séance de câlins avec son copain ou sa copine" et "faire l'amour" est beaucoup plus floue. En France, il se passe en moyenne trois ans entre le premier baiser et le premier rapport sexuel. C'est le temps de la découverte à petits pas de la sexualité. Les câlins deviennent caresses. On s'aventure de plus en plus loin dans le désir et l'érotisme, jusqu'à se sentir prêt à passer le cap de la pénétration. Il y a tout un moment où ça peut même être assez frustrant de se chauffer autant sans faire aboutir le rapport, surtout si on se sent prêt à passer à la suite plus tôt que son partenaire. Il est normal de connaître cette sensation : c'est une étape de transition qui a toute son importance pour ta vie sexuelle à venir. Ce sont ces séances de caresses qui t'apprennent vraiment à faire l'amour. Elles te font comprendre qu'un rapport sexuel, ce sont deux corps qui se cherchent, et non pas une performance sportive. Elles te font déjà

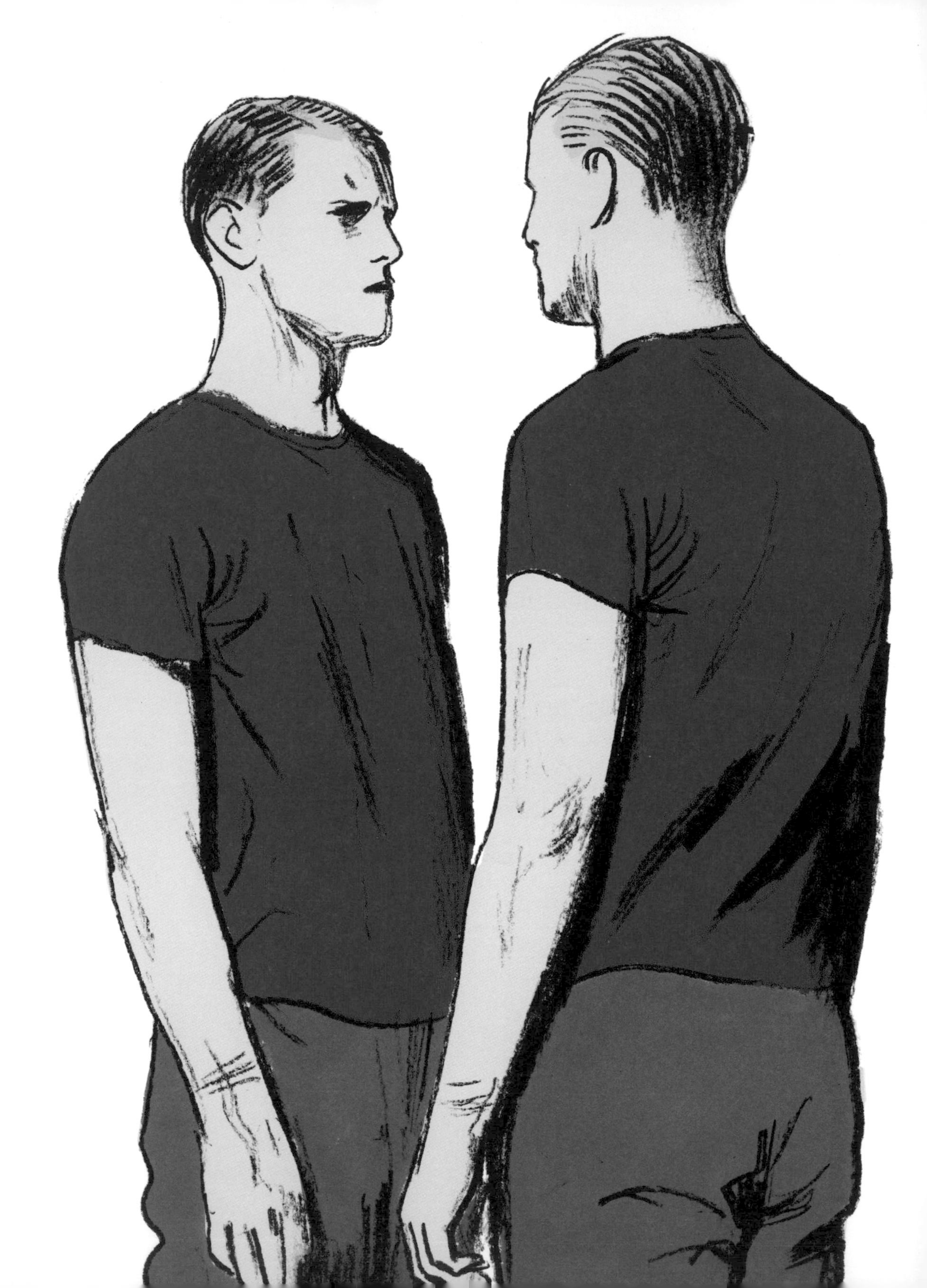

développer ce qui fera de toi un bon amant ou une bonne maîtresse : la tendresse, l'imagination, la capacité à susciter le désir et à donner du plaisir.

L'hymen ne fait pas la virginité

Du côté des filles, on fait tout un pataquès à propos de l'hymen, et pourtant il n'y a vraiment pas de quoi ! L'hymen est un petit bout de membrane qui se situe sur le pourtour de l'entrée du vagin. Tu as bien lu "sur le pourtour", et là seulement : l'hymen ne bouche pas le vagin ! Donc une fille ne s'"ouvre" pas en perdant son hymen ! Et puis la présence d'un hymen n'est absolument pas fiable pour attester de sa virginité. Certaines sont nées sans hymen, ou alors il est si discret qu'on ne remarque pas sa présence. D'autres l'ont perdu sans s'en apercevoir, petit à petit. D'autres enfin ont un hymen suffisamment élastique pour qu'il ait pu laisser passer un pénis sans se rompre. Au final, saigner ou ne pas saigner lors de son premier rapport vaginal, quelle importance ? Ce micro-truc de rien du tout ne mérite pas qu'on lui accorde tant d'attention.

ÊTRE OU NE PAS ÊTRE VIERGE

On ne peut pas avoir perdu sa virginité avec un tampon, puisqu'on ne fait pas l'amour avec. C'est aussi simple que ça. On ne perd pas non plus sa virginité en se masturbant, puisqu'il faut avoir un partenaire pour avoir un rapport sexuel. Par contre, les filles qui ont pratiqué la sodomie* ont peut-être toujours leur hymen, mais ne sont plus vierges.

La virginité ne s'offre pas

Certaines filles parlent d'"offrir leur virginité" à la personne qu'elles considèrent comme étant importante. Soyons clairs : la virginité, ça ne s'offre pas ! Cela sous-entendrait qu'en faisant l'amour pour la première fois, une fille perdrait définitivement quelque chose d'une grande valeur, qu'elle n'en sortirait pas indemne, qu'elle deviendrait impure, salie. C'est une idée vraiment malsaine. On est toujours la même personne avant et après avoir fait l'amour. Et on garde la même valeur ! Quand quelqu'un décide de faire l'amour pour la première fois, la seule personne à qui il offre un cadeau, c'est lui-même !

JUSQU'AU MARIAGE

Pour des raisons religieuses, certaines personnes souhaitent arriver vierges à leur mariage. C'est un choix personnel que tu as tout à fait le droit de faire. Il peut être néanmoins utile de rencontrer sexuellement son/sa futur(e) partenaire de vie avant de s'engager "définitivement" avec. Ne serait-ce que pour vérifier qu'on s'entend bien de ce côté-là...

LES RÈGLES CET ENCOMBRANT CADEAU

Cadeau ou malédiction de la nature, on présente souvent les règles comme une fatalité à laquelle il faudrait se soumettre. Cela n'est pas si vrai. Si certaines jeunes filles y voient la preuve de leur féminité et y sont très attachées, d'autres n'y trouvent que douleurs et contraintes. Heureusement, il est aujourd'hui possible de désacraliser cet événement mensuel et de le vivre comme on le souhaite.

Tout notre corps fabrique sans cesse de nouvelles cellules pour remplacer les anciennes qui vieillissent puis meurent. À partir de la puberté, chez les filles, la paroi de l'utérus, appelée endomètre, produit plein de nouvelles cellules d'un coup pour accueillir un éventuel œuf fécondé dans les meilleures conditions possibles. Si aucun œuf n'est venu s'y déposer, l'endomètre élimine ces cellules, d'un coup aussi, chaque mois – ce sont les règles – avant d'en produire de nouvelles, etc. Les règles ne sont donc pas composées de sang, mais de muqueuse de l'endomètre (ensanglantée, certes). Ce cycle mensuel peut parfois se stopper, en cas de stress, de grossesse, ou à cause de certains médicaments. C'est ce qu'on appelle l'aménorrhée.

A-t-on besoin d'avoir ses règles ?

Avant l'invention de la contraception, les femmes pubères* tombaient très souvent enceintes, si bien qu'elles avaient assez rarement leurs règles au cours de leur vie. De nos jours, les contraceptifs* permettent aux femmes de ne pas enchaîner les grossesses, et elles se retrouvent à avoir leurs règles quasiment tous les mois de leur vie jusqu'à leur ménopause*. Ça n'est pas du tout ce qu'avait prévu la nature, et de plus en plus de médecins ne voient aucun inconvénient à ce que leurs patientes enchaînent les plaquettes de pilules de façon à ce qu'elles ne soient pas soumises au cycle menstruel. Certaines pilules, le port d'un stérilet avec hormones ou parfois d'un implant* permettent aussi

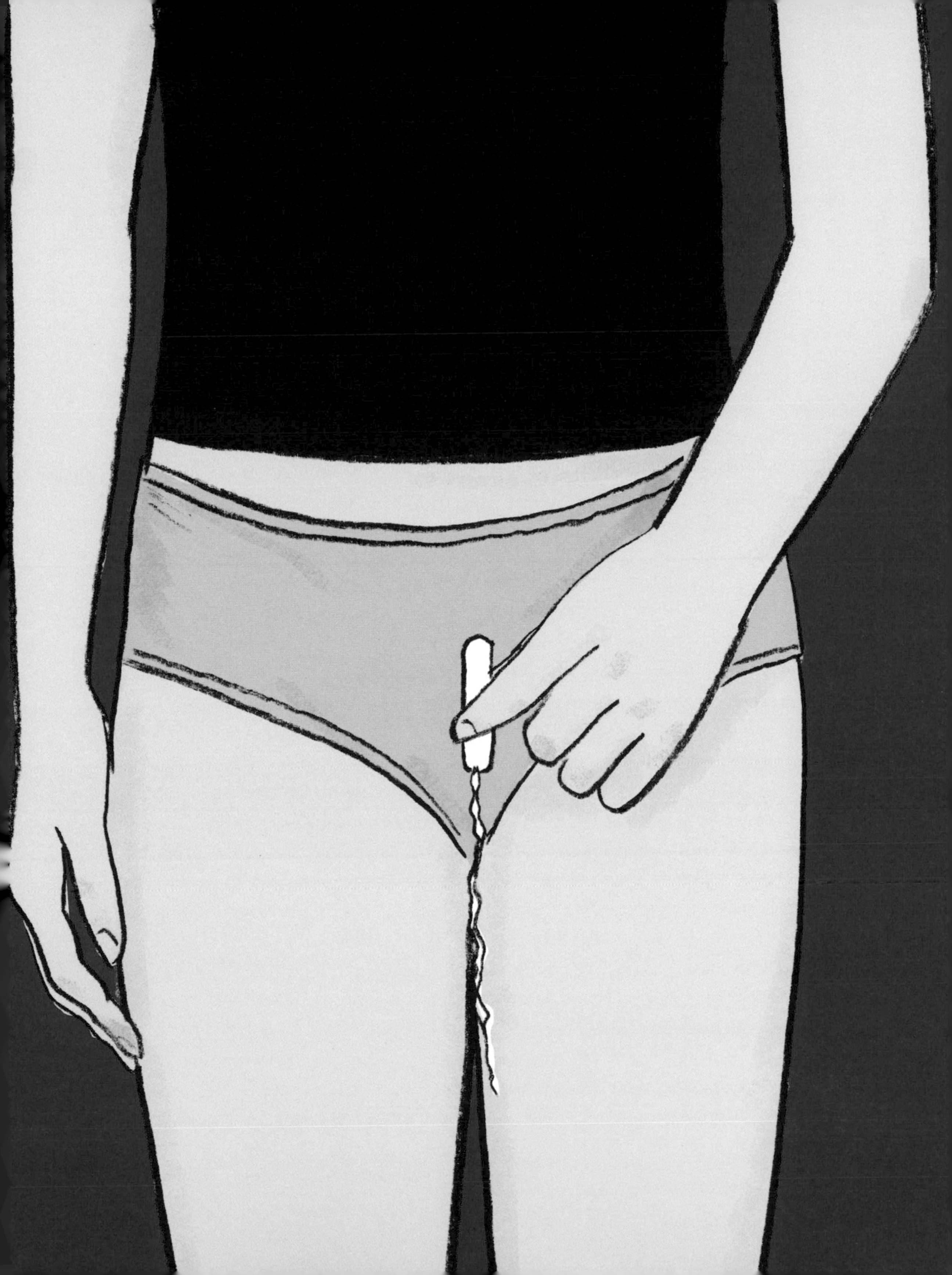

ce résultat. De nombreuses sportives pratiquent cela depuis longtemps pour ne pas être gênées dans leurs activités. N'hésite pas à en parler à ton médecin si tu as envie de ne plus avoir tes règles mensuellement. Et surtout, oublie l'idée que les règles purifient. Quand on enchaîne les plaquettes de pilules, l'endomètre adopte le même fonctionnement que pendant les autres périodes d'aménorrhée, c'est-à-dire qu'il se met à produire de nouvelles cellules et à se débarrasser des anciennes de façon continue, comme le reste de ton corps, et non plus par à-coups mensuels.

C'est normal, d'avoir mal pendant les règles ?

Il existe un préjugé selon lequel il serait normal que les règles soient douloureuses. Par conséquent, beaucoup de jeunes filles et de femmes acceptent leurs souffrances sans chercher à y mettre fin. Mais tu n'as aucune raison de supporter la douleur sans agir si tes règles te font mal. Il faut aller consulter un médecin. Si les douleurs sont dues, comme c'est souvent le cas, aux contractions de l'utérus pendant les menstruations, il pourra te prescrire un antidouleur, et tu pourras discuter avec lui de la possibilité de prendre un contraceptif qui amenuise ou stoppe les règles. Il pourra aussi vérifier que tu ne souffres pas d'endométriose. Cette maladie gynécologique est très douloureuse. Elle correspond à un développement anormal de la muqueuse endométrique en dehors de l'utérus. Les conséquences peuvent être graves : douleurs en fin de règles mais aussi lors des rapports sexuels et parfois infertilité*. Cette maladie est malheureusement assez répandue, et pourtant, son diagnostic prend en moyenne sept ans. Pourquoi ? À cause de cette vieille lubie de trouver normal que les femmes souffrent, qui les conduit à ne pas chercher à comprendre et traiter la douleur !

PEUT-ON FAIRE L'AMOUR
QUAND ON A SES RÈGLES ?
Il n'existe aucune contre-indication à avoir
des rapports sexuels pendant ses règles.
C'est une question de feeling. Pour certains,
c'est impensable, pour d'autres,
c'est indifférent. Et pas mal ont
des réticences théoriques, mais
qu'ils oublient dans le feu de l'action !
Si on utilise un tampon et que le fil
a disparu après le rapport, il ne faut pas
oublier d'aller le récupérer après ! Il existe
aussi des petites éponges à insérer dans
le vagin qui récupèrent le flux et qui
peuvent être plus confortables dans
cette situation. Attention toutefois :
les IST* se transmettent encore plus
facilement quand on a un rapport sexuel
pendant ses règles. Il faut donc mettre
un préservatif !

LA CONTRACEPTION POUR UN PLAISIR SANS DÉPLAISIRS

Il n'y a pas moyen d'y échapper. Allez, au boulot : une capote, une banane, entraînement ! Il faut que tu saches comment enfiler un préservatif. Si tu es un garçon, tu peux t'entraîner sur toi-même (à condition d'avoir une érection*), sinon prends une banane (ou une courgette, une carotte, ou ce que tu veux qui soit jetable ensuite !), et exerce-toi à dérouler le truc sur le bidule en pinçant le petit réservoir au bout pour en chasser l'air.

La capote est le seul contraceptif* qui protège également des infections sexuellement transmissibles (IST) et c'est pour cela qu'elle est incontournable. Cet entraînement est valable pour tout le monde, car il n'y a pas de raison que les garçons soient seuls à gérer ça. Il existe aussi un préservatif féminin, moins connu, que l'on déroule dans le vagin jusqu'à huit heures avant la pénétration. La mise en place est un peu technique, il faut vraiment l'avoir pratiquée avant. Ce contraceptif possède deux immenses avantages : il permet de ne pas interrompre l'action au moment où l'on passe aux choses sérieuses, et il ne serre pas la verge de l'homme, ce qui le rend donc plus agréable à utiliser pour certains.

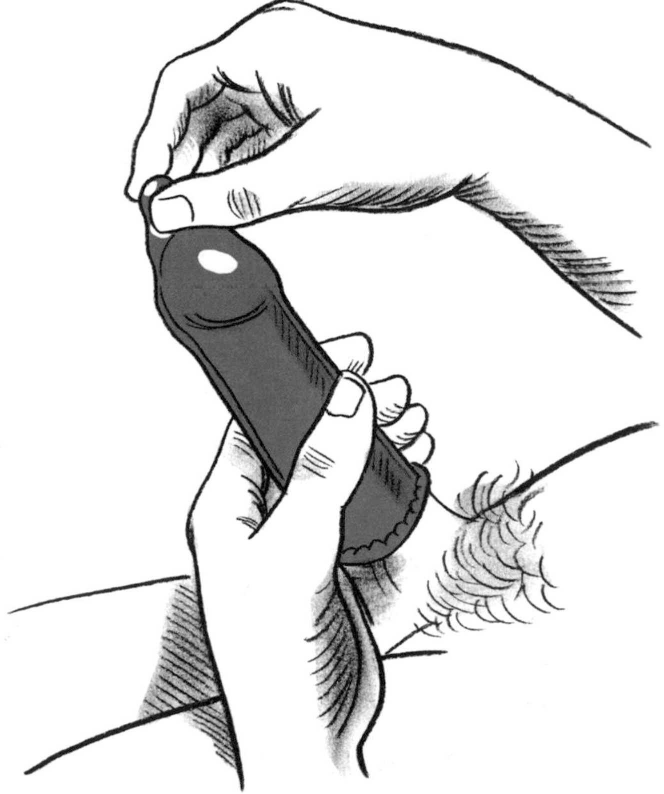

Contraception féminine, il faut se renseigner

Les préservatifs sont très fiables quand tout se passe normalement et qu'ils sont utilisés à chaque rapport, mais il arrive parfois qu'ils se déchirent pendant l'acte. Il faut donc que les filles prennent un contraceptif de leur côté. Mais là aussi, il n'est pas très bon qu'elles soient seules à supporter cette responsabilité. Un garçon doit s'intéresser à la contraception de sa copine, et éventuellement l'aider, l'encourager, l'accompagner, si elle ressent des difficultés avec ça. Jusqu'à présent, on donnait plutôt la pilule aux jeunes filles, mais on admet aujourd'hui qu'elle ne convient pas forcément à tout le monde. Il existe beaucoup de méthodes contraceptives. Chaque jeune fille doit prendre le temps de se renseigner pour choisir celle qui lui convient. Il faut prendre en compte les critères médicaux (hormones ou pas ? fumeuse ou non ? diabétique ? hypertendue ? avec un risque de phlébite ?), mais aussi le confort physique et mental (arrêt ou surabondance des règles ? dispositif contraignant ou pas ?...). Certaines filles ne parviennent pas à être assidues dans leur prise de pilule, et seront mieux protégées par un DIU* (dispositif intra-utérin). D'autres ne sont pas à l'aise avec l'idée de porter un stérilet, et préféreront un implant*. Mais ce dernier peut rendre les règles irrégulières, ce qui sera gênant pour certaines, et pas pour d'autres...

En cas d'urgence

Enfin, les jeunes filles qui ont eu un rapport sexuel sans contraceptif, ou dont le préservatif a déclaré forfait, ont la possibilité d'aller demander une contraception d'urgence dans une pharmacie, c'est la fameuse pilule du lendemain. Si elle est prise le plus tôt possible après le rapport à risque, elle est efficace à 95 %. Elle peut être prise jusqu'à soixante-douze heures après le rapport, mais son efficacité diminue rapidement. Elle est délivrée sans ordonnance, gratuitement pour les mineures, et à bas prix pour les majeures. Cette pilule, si elle ne pose pas de problème quand elle est prise rarement, ne peut être considérée comme une contraception récurrente. En effet, outre son efficacité limitée à un seul rapport, si on l'ingère trop souvent, le cycle sera perturbé avec des règles modifiées, sans danger mais casse-pied. Entre trois et cinq jours après le rapport à risque, on peut prendre la pilule dite "du surlendemain", à garder comme joker pour des situations exceptionnelles aussi.

Et si une grossesse non désirée a commencé ?

Depuis 1975, grâce à la loi Veil, les femmes ont le droit d'interrompre une grossesse qu'elles ne désirent pas, et ce jusqu'à la douzième semaine de grossesse (qui correspond à la quatorzième semaine après le premier jour des dernières règles). Les mineures doivent avoir l'autorisation d'un de leurs parents, mais si le dialogue avec la famille n'est pas possible, elles peuvent alors s'en passer et se faire accompagner par une personne majeure de leur choix. Les coûts sont pris en charge à 100 % par l'Assurance maladie. Si l'IVG (interruption volontaire de grossesse) a lieu avant la cinquième semaine de grossesse, on peut avorter par prise de médicaments. L'autre méthode consiste en une courte aspiration sous anesthésie locale ou générale. Deux consultations médicales avec une semaine de réflexion entre elles sont obligatoires avant de réaliser un avortement. Ce délai de réflexion entre les consultations sera supprimé bientôt si le Conseil d'État confirme le vote de la loi de santé du 17/12/15. En attendant, attention à ne pas entamer les démarches trop tard !

Des sites internet culpabilisants

Attention aussi aux sites internet qui prétendent accompagner les jeunes filles qui souhaitent interrompre leur grossesse. Bon nombre d'entre eux sont en fait tenus par des militants opposés à l'avortement. Sous couvert d'aider les femmes dans leur réflexion, ils présentent l'IVG comme un terrible traumatisme et cherchent à les faire culpabiliser pour les dissuader d'avorter. Ces sites sont souvent repérables au style des photos qu'ils utilisent. Si leurs pages internet présentent des jeunes femmes à l'air désespéré qui se prennent la tête entre les mains, méfiance ! Aucune association sérieuse ne présente l'avortement comme une source de souffrances. Les femmes qui ont avorté librement et dans de bonnes conditions n'ont aucune obligation à être traumatisées, bien au contraire ! Pour s'assurer d'être bien accompagnée, le plus sûr est de s'adresser au Planning familial.

L'AMOUR POUR LE PLAISIR

Les êtres humains et une bonne partie des animaux sont sexués, c'est-à-dire qu'ils se reproduisent en faisant se rencontrer un spermatozoïde et un ovule. Pour ce faire, la plupart doivent s'accoupler. La procréation* est le but de chaque espèce, mais pas forcément celui de chaque coït*. Ainsi, bon nombre d'animaux ont des pratiques sexuelles qui ne peuvent clairement pas aboutir à faire naître des petits. Ils font ça pour le plaisir. Homosexualité, caresses, rapports sexuels entre animaux de races différentes... Tous ces comportements existent dans la nature.

LE CYCLE DE L'OVULATION

On considère qu'un cycle commence au premier jour des règles. À partir de ce moment, des hormones dans les ovaires font mûrir un ovule qui sera libéré au bout de quatorze jours environ : c'est l'ovulation. Pendant ce temps, la muqueuse utérine s'épaissit, de façon à pouvoir accueillir un œuf si jamais l'ovule disponible était fécondé. Cet ovule a une durée de vie de vingt-quatre heures. Il se déplace jusqu'à l'utérus. S'il est fécondé par un spermatozoïde, il devient ce que l'on appelle un ovocyte et va s'implanter dans l'utérus, c'est le début d'une grossesse. Si l'ovule n'est pas fécondé, le taux d'hormones produit par le corps diminue et entraîne le détachement d'une partie de la muqueuse utérine : ce sont les règles.

LA MÉCANIQUE DU DÉSIR

Parfois on aperçoit la nuque d'une personne et on a une grosse, grosse envie de l'embrasser. On regarde les mains de cette personne en espérant qu'elles se posent sur son corps. C'est ça le désir, c'est un mouvement vers l'autre, une sorte de frustration de ne pas être déjà en train de le toucher et d'être touché. Cela est parfois associé à une excitation génitale, c'est-à-dire au fait d'avoir une érection* ou de mouiller*, mais il ne faut pas confondre les deux. On peut être excité sexuellement et ne ressentir aucun désir pour personne.

Le désir est une tension érotique très complexe. Tout part d'une pulsion sexuelle produite par des mécanismes hormonaux. Là-dessus s'ajoute tout ce que ta culture et ta famille t'ont inculqué – est-ce bien ? est-ce mal ? est-ce superflu ou nécessaire ?... – et la façon dont tes fantasmes se sont construits dans ta tête. Et puis le hasard te fera rencontrer au cours de ta vie des personnes qui vont déclencher toute cette mécanique. Le désir est parfois associé au sentiment amoureux, mais pas obligatoirement. Cela peut créer des confusions. Quand on sent tout son corps tendu vers une personne, on ne sait pas forcément très bien s'il s'agit d'amour ou de désir, ou des deux en même temps. C'est l'expérience qui permet de distinguer ces états. Nous ne sommes pas égaux devant le désir. Certains en ressentent souvent, d'autres plus rarement. Et puis ça dépend des moments de la vie et des circonstances... Il existe des personnes qui ne ressentent jamais de désir. On les appelle les asexuels. Cela ne les empêche pas de tomber amoureux ni de se mettre en couple, mais ils ne ressentent pas de pulsions sexuelles.

La drague, ascenseur pour le désir

Quand on ressent du désir pour une personne, on ne sait pas forcément au départ si elle partage les mêmes envies. Il faut donc prendre le risque de lui montrer petit à petit ce que l'on ressent, et prendre en compte ses réactions. Les jeux de séduction, ce que l'on appelle "la drague", ont pour vocation de créer le désir chez la personne que l'on a en tête. Si elle est réceptive, on peut préciser ses intentions au fur et à mesure, jusqu'à sortir ou coucher avec elle. Si elle ne semble pas intéressée, il ne faut pas insister. Être rejeté par une personne que l'on désire peut être très blessant, surtout quand on est jeune, mais on comprend en grandissant que cela fait partie de la vie, et que ça n'est pas si grave.

Des désirs différents ?

On parle toujours de la sexualité des hommes comme d'un besoin fort, difficile à réprimer, et jamais défaillant, et celle des femmes est souvent décrite comme plus fragile. On leur prête un désir moins impérieux, qui viendrait plus difficilement, qui aurait besoin de beaucoup de câlins et d'attentions chevaleresques pour s'éveiller. C'est loin d'être toujours vrai. La pression sociale joue un rôle important dans cette vision. Savoir si tu corresponds aux caricatures ou pas est assez peu intéressant en fait. L'idée est d'accepter ton désir, et de savoir en déclencher chez ton partenaire, mais surtout, en restant toi-même ! Par exemple, si tu es timide ou pudique, pas la peine de te forcer à dire des mots crus ou prendre des poses osées. Ça serait ridicule. Faire l'amour, ça n'est pas jouer une comédie. Si tu es timide, alors ce trait de caractère fera partie de ce qui plaît à ton ou ta partenaire, de ce qui nourrira son désir.

DE L'AMOUR AU DÉSIR

Être amoureux, c'est penser à l'autre en souriant, avoir envie de passer du temps avec lui/elle, vouloir son bonheur, et avoir l'impression d'être une meilleure personne à son contact. L'amour est une émotion puissante, et c'est une excellente passerelle vers le début de la vie sexuelle.

Quand on est encore jeune, l'amour n'arrive pas forcément avec du désir physique. On commence par partager du temps, des activités, par se confier l'un à l'autre. On s'embrasse, on se tient la main, on fait des câlins. Puis arrivent les parties de chatouilles, les bagarres pour rire. Ce sont les débuts des jeux amoureux, qui permettent d'avoir un contact physique sans que ça soit encore explicitement sexuel. Le but n'est pas qu'il y en ait un qui gagne. Les jeux amoureux servent à se rapprocher, pas à dominer l'autre. Ils sont une première rencontre avec le corps de l'autre, ils forment la complicité physique. Il faut donc qu'il y ait un équilibre.

Faire l'amour à son amour

On n'est pas obligé d'être amoureux pour avoir une relation sexuelle avec quelqu'un, mais c'est une belle expérience que d'atteindre le plaisir physique avec la personne que l'on aime. L'amour peut être un puissant aphrodisiaque. C'est une histoire d'hormones, mais pas seulement. Avec l'amour vient la confiance et la tendresse, qui sont aussi des ingrédients de la vie sexuelle. On peut également tomber amoureux de quelqu'un avec qui l'entente sexuelle ne sera pas dingue, et là c'est pas de bol... Mais cela peut valoir le coup de continuer à chercher ensemble des façons de faire l'amour qui plairont aux deux.

Être en couple

En France, de nos jours, "sortir" avec quelqu'un sous-entend que l'on s'engage à être fidèle pendant toute la durée de la relation, c'est-à-dire à ne pas entretenir de rapports sexuels ni amoureux en parallèle. On appelle cela la monogamie. Mais pour certains, ce mode de relation est intenable. Ces couples s'autorisent à avoir des relations sexuelles chacun de son côté : on les appelle les "couples libres". D'autres peuvent être amoureux de plusieurs personnes en même temps, ce sont les polyamoureux. Mais la monogamie reste le présupposé de base quand on se met en couple. Si tu ne comptes pas t'y plier, tu dois donc prévenir ton/ta partenaire et trouver un compromis qui vous plaise à tous les deux.

AIMER
LES UNS ET / OU LES AUTRES

Certaines personnes ne tomberont jamais amoureuses de quelqu'un du sexe opposé. Cela leur est tout simplement impossible. Rien ne les émeut chez l'autre sexe, et on ne peut pas se forcer à aimer ou à désirer. On ne choisit pas son orientation sexuelle. On constate seulement quels sont les chemins qui nous mèneront au bonheur.

Être hétérosexuel, c'est être attiré, amoureusement et sexuellement, uniquement par des personnes d'un sexe différent du sien. Être homosexuel, c'est ressentir du désir et de l'amour uniquement pour des personnes du même sexe que soi. Être bisexuel, c'est être susceptible de ressentir une attirance pour chaque sexe. Sur le terrain, les choses ne sont pas toujours si claires. Certains ont le sentiment d'avoir toujours su qu'ils étaient hétéros ou homos. D'autres le découvrent en tâtonnant, et enfin certains changent de chapelle en vieillissant. On peut trouver des personnes qui se sentent complètement hétérosexuelles, mais qui sont tombées une fois amoureuses, ou ont eu un rapport sexuel, avec quelqu'un de leur sexe, et inversement. Les frontières sont parfois floues.

Les préjugés à la pelle et à la ramasse

Les bisexuels ont une image sulfureuse car on comprend souvent mal ce qu'ils ressentent. Être bisexuel, ça ne veut pas dire avoir une sexualité débridée et coucher avec tout le monde. Cela veut juste dire que certains partenaires seront des femmes et d'autres des hommes. Mais on peut tout à fait être bisexuel et avoir une vie amoureuse et charnelle quasi inexistante. C'est pareil pour les homosexuels et les hétérosexuels. Certains seront de grands amoureux, d'autres seront plus libertins*, et d'autres encore ne se sentiront pas tellement concernés par le sexe.

L'orientation sexuelle n'a rien à voir avec le fait d'être un homme ou une femme. Un homme homosexuel reste complètement un homme. Une femme homosexuelle est tout à fait une femme. Chez les hétéros comme chez les homos, certaines personnes correspondent aux caricatures de féminité et de masculinité. D'autres personnes n'ont pas envie de s'y plier et s'accorderont plus de liberté dans leur façon de se comporter. Chacun gère le degré de virilité ou de féminité qui lui convient, qu'il soit homo, hétéro ou bi.

Ni victime, ni bourreau !

Malheureusement, il y a encore en France des milieux et des familles où il n'est pas facile d'assumer une orientation sexuelle autre qu'hétéro. Charge à toi de rendre ce monde meilleur en acceptant la sexualité de chacun telle qu'elle vient, sans porter de jugement.

Si tu sens que tes goûts prennent une tournure homosexuelle ou bisexuelle, on ne peut que te souhaiter d'être bien entouré et de ne pas te heurter à de l'incompréhension de la part de tes proches. Si jamais ça n'est pas le cas et que tu sens que tu ne peux pas assumer librement ton orientation sexuelle, il faut que tu puisses trouver des personnes bien intentionnées à qui te confier en dehors de ton entourage habituel. Tu trouveras des contacts utiles à la fin de ce livre.

QUAND ÊTRE UN HOMME OU UNE FEMME EST UN LABYRINTHE

Les garçons n'ont pas tous forcément envie de jouer à celui qui pisse le plus loin. Les filles ne rêvent pas toutes d'être une princesse chevauchant une licorne pailletée. Être un homme ou une femme ne revient pas obligatoirement à correspondre aux stéréotypes. Pour certains, c'est même assez flou, voire compliqué.

Il peut y avoir, et c'est le plus courant, la pression sociale : "Tu es un garçon manqué, pourquoi tu ne mets jamais de jupe ?" Ou : "C'est quoi ce comportement de fillette ? Un homme, un vrai, n'aurait jamais fait ça !" À force de s'entendre dire qu'on ne correspond pas à ce que les autres attendent d'une fille ou d'un garçon, on peut finir par douter. Mais il existe bien des façons de se sentir femme ou homme. À toi de trouver ton chemin, ta façon d'habiter ton corps et de te positionner dans ton genre.

Le sexe des anges

D'autres personnes naissent avec une indétermination sexuelle physique plus ou moins poussée. Ce sont les hermaphrodites, ou intersexuels. Il existe différents stades d'intersexualité qui vont d'une petite ambiguïté génitale (par exemple un sexe féminin avec un clitoris très développé) jusqu'à l'impossibilité totale de mettre la personne dans la case "garçon" ou la case "fille". Les médecins ont longtemps conseillé aux parents de choisir le sexe de leur enfant au plus vite et de le faire opérer pour que ses parties génitales correspondent à leur décision. Aujourd'hui, des mouvements militants d'intersexuels demandent à ce qu'on laisse les enfants grandir tels qu'ils sont nés, pour qu'ils fassent leurs choix eux-mêmes quand ils en auront l'âge et l'envie.

Prisonnier du mauvais corps

Les transsexuels sont des personnes qui sont nées avec un sexe de fille alors qu'elles se sentent complètement garçons. Ou qui sont nées avec un corps de garçon alors qu'elles se sentent complètement filles. Certains transsexuels décident de faire des démarches pour changer de sexe physiquement et à l'état civil. C'est un parcours compliqué mais qui peut résoudre bien des problèmes.

Ne jamais rester seul

La nature n'est pas aussi catégorique que nous le croyons. Il existe de multiples façons d'être. Et si certaines sont plus lourdes à porter, c'est à cause du jugement des autres. Si tu te sens concerné(e) par ces questions, ne reste pas seul(e) à t'interroger sur toi-même. Prends contact avec une association de personnes qui rencontrent les mêmes questionnements que toi. Si tu n'es pas concerné(e), il reste important que tu deviennes une personne tolérante et que tu ne fasses pas souffrir, par des jugements hâtifs, ceux qui se sentent étouffés par les normes habituelles.

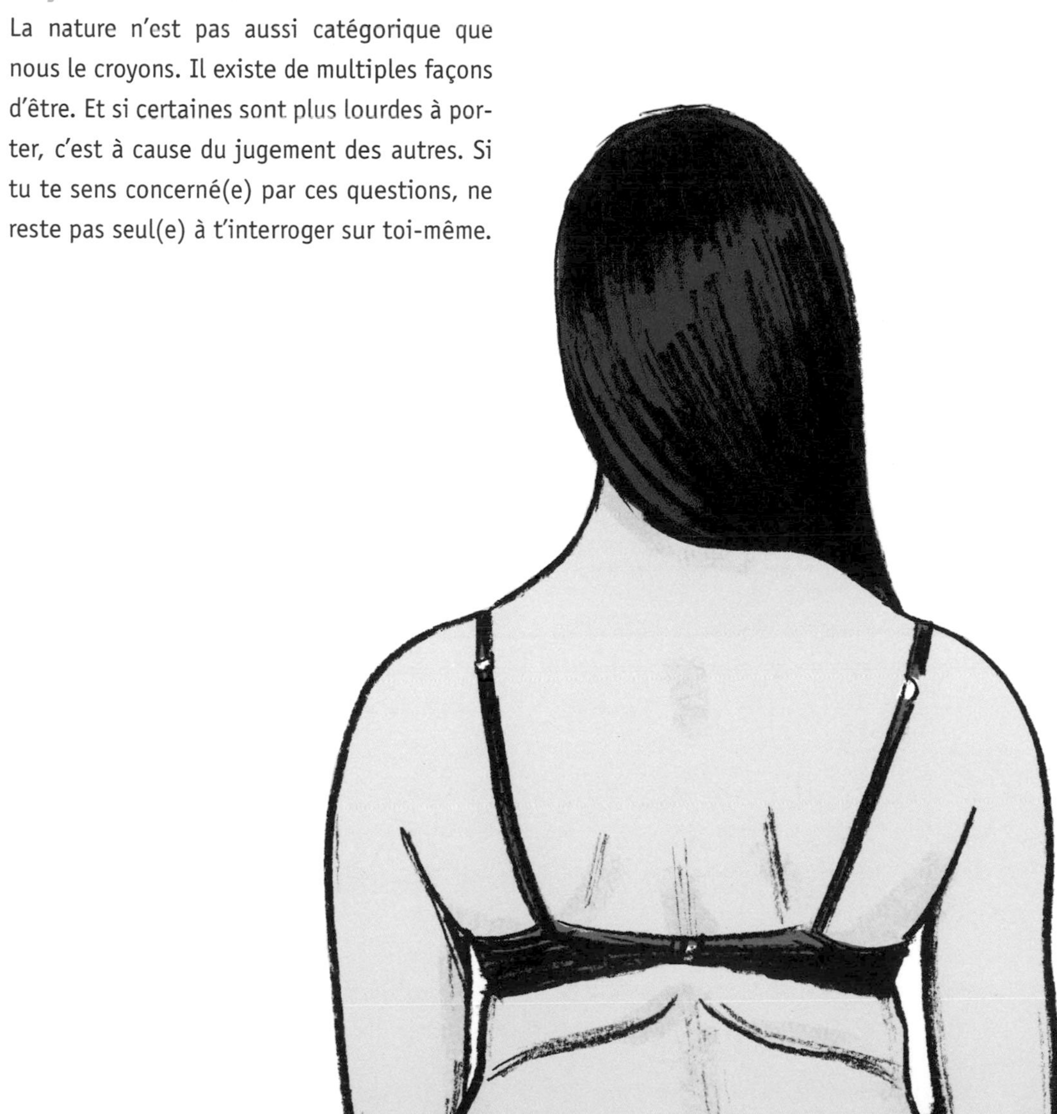

"Il faut que tout soit parfait : l'heure, le moment, l'endroit…
– Vicky, c'est toi que tu envoies en l'air, pas un satellite !"

AMERICAN PIE

LE JOUR J. AU MOMENT M.

Ta première relation sexuelle sera peut-être très préparée, lors d'une soirée réservée à l'avance, tranquille, dans un appartement avec musique douce et tout le tralala. Et puis parfois, la vie nous fait des surprises. On se retrouve, sans l'avoir prévu, avec les mains qui déboutonnent un pantalon et les bouches qui se cherchent, et on se rend compte qu'on va le faire, là, maintenant, sur la plage, lors d'une fête, ou ailleurs, parce qu'on en a l'envie et l'occasion, parce qu'on se sent prêt, même si on n'avait rien vu venir.

Est-ce que ça fait mal ?

Les filles ont souvent un peu peur d'avoir mal lors de leur première relation sexuelle. C'est normal d'être impressionnée, mais un rapport sexuel en soi ne fait pas mal. Le premier garçon qui fait rentrer son pénis dans le vagin d'une fille ne lui imprime aucune marque, ne change pas la forme de son vagin, ne l'élargit pas. Quant à l'hymen, sa rupture est le plus souvent très discrète. Donc ce premier rapport n'a aucune raison d'être douloureux physiquement. Ce qui arrive, par contre, c'est que la jeune fille soit stressée par cette situation nouvelle, ce qui met un frein à son désir et son plaisir. Il est vrai qu'un inconfort ou même des douleurs peuvent apparaître au moment de la pénétration. La plupart des garçons ont conscience de leur responsabilité et font preuve de douceur pour aider

leur partenaire à se détendre et à profiter du moment. Côté fille, ça n'est pas parce que l'heure de la première pénétration a sonné qu'il faut devenir passive et angoissée. Au contraire, ce jour-là, il est particulièrement important de se chauffer, de s'embrasser et de se caresser follement. La pénétration ne sera une évidence que si les deux partenaires sont très excités.

Peut-on assurer la première fois ?

Côté garçon, la question de la perte de virginité se pose plutôt en termes de durée. "Vais-je assurer ?" Va savoir ! On n'attend pas d'un débutant qu'il soit une bête de sexe, mais si tu as pris le temps de découvrir la sexualité étape par étape, que tu as flirté, caressé, embrassé, suçoté... tu connais déjà beaucoup de choses avant d'en arriver à la première pénétration. Tu sais faire monter le désir, tu sais donner et recevoir du plaisir de multiples manières. Si au bout de tout ce processus, la pénétration elle-même est courte, ça ne sera pas si frustrant, parce qu'il se sera passé plein d'autres choses avant. Et puis quand on est jeune, on a plus de facilité à retrouver une érection après une éjaculation*, donc si vraiment la première fois est trop rapide à ton goût, rien ne t'empêche de remettre le couvert aussitôt !

Comment se passe un premier rapport homosexuel ?

Un premier rapport homosexuel n'a rien de différent des autres. Il est toujours question de s'embrasser, de se caresser, de masturber l'autre, puis de passer à la pénétration. Pour les garçons homosexuels se pose parfois la question d'être celui qui pénètre ou celui qui est pénétré. On n'est pas forcément au clair avec ses envies au début de sa vie sexuelle. Mieux vaut ne pas chercher à se mettre absolument dans une case, et laisser le désir guider les gestes à chaque rapport. Il faut aussi libérer son esprit des préjugés. Par exemple celui qui est pénétré n'est pas forcément soumis ni féminin. Et un rapport sexuel gay peut tout à fait être tendre, doux et romantique. Côté pratique, il faut penser à se munir d'un gel lubrifiant qui facilitera la pénétration anale. Chez les lesbiennes, c'est plutôt la méconnaissance du corps et des pratiques sexuelles entre filles qui pose problème. On voit tellement peu souvent de scène de sexe réaliste entre deux filles au cinéma que cela reste parfois mystérieux jusqu'à ce qu'on soit impliqué. Les lesbiennes ne se contentent pourtant pas de quelques bisous. Elles font véritablement l'amour elles aussi, en se masturbant, en pénétrant avec les doigts...

Le sexe, ça s'apprend

La sexualité, c'est tout un apprentissage qui commence avant la première pénétration, et qui continue après. Les premières pénétrations ne sont pas forcément des révélations incroyables, car il faut du temps pour apprivoiser ces nouvelles sensations et trouver son plaisir. C'est pourquoi quand on commence sa vie sexuelle, il n'est pas question de faire d'emblée tout le Kamasutra* ! On commence simple, pour pouvoir se concentrer sur ce qu'on ressent, et les joies de la brouette thaïlandaise et de la bête à deux têtes viendront plus tard, avec l'expérience !

TROUVER LE TROU !

Une grande peur des garçons est de ne pas trouver l'entrée du vagin. C'est tout à fait compréhensible, surtout si c'est la première fois de la jeune fille aussi. Pour être sûr de ne pas rater l'entrée, mieux vaut ne pas se précipiter dessus bille en tête ! Côté garçon, commence par un repérage des lieux avec des caresses. Côté fille, n'hésite pas à guider doucement ton partenaire avec ta main !

LA MAJORITÉ SEXUELLE

En France, la majorité sexuelle est fixée à quinze ans. Cela veut dire qu'une personne majeure n'a pas le droit d'avoir un rapport sexuel avec un mineur de moins de quinze ans, même consentant. Les rapports sexuels consentis entre mineurs de moins de quinze ans sont tolérés et il n'est pas interdit, pour un mineur de moins de quinze ans, d'avoir des relations sexuelles consenties avec un mineur de moins de dix-huit ans. Un majeur qui chercherait à éveiller les pulsions sexuelles d'un mineur, en lui proposant du matériel pornographique par exemple, est passible de cinq ans d'emprisonnement et 75 000 euros d'amende pour "corruption de mineur". Une personne majeure n'a pas non plus le droit de faire assister un mineur à une réunion comportant des exhibitions ou des relations sexuelles. Les peines sont encore alourdies si le mineur a moins de quinze ans, ou s'il a été contacté *via* internet ou que les faits ont été commis au sein d'un établissement scolaire.

L'INTIMITÉ SEXUELLE

ZONE DE CONFIANCE ET DE BIENVEILLANCE

Pouvoir se marrer gentiment si l'un des deux pète ou pousse un petit cri ridicule au mauvais moment, rechercher les goûts de l'autre, se sentir suffisamment en confiance pour lui montrer ce qui nous fait complexer, ou pour qu'un blocage ne dégénère pas en honte intersidérale, voilà quelques symptômes d'une véritable intimité sexuelle. Ça n'est possible qu'avec des personnes bienveillantes, et que si tu l'es toi-même. C'est ce qui permet de faire l'amour de façon spontanée, de se laisser aller, de ne pas tout le temps se contrôler.

Si tu as l'impression que tu vas être jugé(e) en proposant une position un peu exotique ou en la refusant, cela veut dire que tu ne te sens pas totalement en confiance et qu'il sera plus compliqué de t'éclater vraiment au lit. Cela peut être à cause de ton/ta partenaire qui ne serait pas suffisamment compréhensif. Cela peut être aussi la conséquence de tes propres difficultés à te livrer. Si tu t'es construit une carapace et que tu refuses de montrer tes faiblesses, tu ne donnes pas suffisamment de toi-même pour être véritablement intime avec ton/ta partenaire.

LES *SEX FRIENDS*

L'intimité n'est pas forcément liée à l'amour. Au lit, on peut se sentir totalement en confiance avec quelqu'un de très chouette dont on n'est pas amoureux. Dans ce cas-là, on parle de "*sex friend*". Être amoureux d'une personne à qui on n'ose pas trop se montrer, par contre, est plus embêtant, ça veut dire qu'il y a un problème de confiance quelque part et qu'il faut le résoudre.

La méchanceté blacklistée

La confiance, ça se gagne et ça s'entretient ! Imagine-toi avoir fait l'amour avec ton/ta partenaire, et entendre quelques jours plus tard ses amis faire des remarques sur ce qui s'est passé. Cela peut être très humiliant. Celui qui va tout commenter avec d'autres personnes ensuite n'est pas digne de confiance. Que tu aies un ou une ami(e) extrêmement sûr(e) avec qui tu ressens le besoin de faire un débriefing (respectueux) sous le sceau du secret est tout à fait normal. Que tu ailles raconter les goûts ou, pire, les échecs et les blocages de ton/ta partenaire à des gens dont tu sais très bien qu'ils se marreront et en feront profiter tout le voisinage, c'est méchant. Il ne faut pas non plus que tu acceptes que l'autre te fasse ce coup-là.

Donner sa confiance, cela signifie aussi que les vannes et méchancetés sont bannies. Personne n'a à recevoir de commentaires désobligeants sur son physique, sa performance ou ses façons de faire. Si tu ne peux pas t'empêcher de faire une remarque, ou si c'est lui ou elle qui en fait, pose-toi des questions sur la valeur de cette relation : d'où est venue cette envie de faire mal ?

Discussions sur l'oreiller

Par contre, il n'est pas interdit de se parler, au contraire ! C'est en discutant qu'on peut accorder ses violons. Cela permet de se sentir suffisamment en confiance pour oser faire ou oser refuser. Si quelque chose t'a déplu, il faut que tu puisses le dire pour que ton/ta partenaire s'adapte à toi. Tu dois être capable d'écouter ce qu'il ou elle a à dire aussi. On n'a pas toujours les mêmes envies au même moment, c'est en ayant confiance l'un en l'autre que l'on peut trouver un terrain d'entente. Dans les relations intimes, c'est toujours à celui qui est prêt à aller le plus loin d'attendre que l'autre partage ses envies, car on n'impose pas une pratique sexuelle à quelqu'un. Et quand on demande cinquante fois à l'autre de faire quelque chose dont il n'a pas envie, ça ne s'appelle plus une proposition, mais du chantage !

PRÉLIMINAIRES SUPERSTARS !

Ta main sur mon…, ma bouche sur ton…, et chauffe, Marcel ! Tiens, si tu me léchais le lobe de l'oreille ? Ça te plairait que je mette mon doigt dans ton… ? Et mes… ? Tu les aimes mes… ? Tourne-toi un peu pour voir ? Nan, garde ton soutif' ! J'aime quand je sens ton… sur mon… ![3]

Les préliminaires, ça n'a rien de sage. C'est même plutôt censé être très très chaud. C'est déjà faire l'amour. Le but est non seulement de faire monter l'excitation, mais aussi de profiter du moment. Les échanges sont intenses, on est complètement attentif à soi et à son partenaire. On oublie le reste du monde. On se retrouve dans des positions bizarres, on passe du temps sur un petit bout de peau qu'on aime bien, on renifle, on parle, on caresse, on embrasse. C'est un grand moment de complicité et de sensations. On peut voir ça comme une sorte de chasse au trésor, et le but serait de découvrir ce qui fait chavirer l'autre et ce qui te fait un effet bœuf.

La bonne nouvelle, c'est que ça n'a rien de très compliqué, qu'il n'y a pas encore le stress d'avoir une érection qui tienne la route ou d'être pénétré. Ce n'est que du bonus. Certains couples seront très tendres, d'autres se marrent ensemble, et parfois, c'est hyper-sérieux, très concentré et on entend voler les mouches. Il y a plein de façons d'être *caliente*.

Plus c'est long, plus c'est bon !

Quand on parle de faire l'amour pendant des heures, il ne s'agit pas d'heures entières à faire des va-et-vient, personne ne peut tenir si longtemps, ni chez les filles ni chez les garçons. D'une part, des coïts longs peuvent finir par être ennuyeux voire douloureux et d'autre part, c'est à ce moment-là que l'orgasme* est le plus fortement attendu. C'est lors des préliminaires que le temps s'étire à l'infini et que l'on peut faire durer le plaisir. En revanche, il arrive aussi que les deux concernés aient envie d'aller droit au but et de se passer de préliminaires. Parce qu'on n'a pas le temps, parce qu'on a la flemme, parce que ce n'est pas ce dont on a envie à ce moment précis. Ça ne pose aucun problème, tant que les deux sont d'accord et que ça n'est pas le signe d'un manque d'intimité.

3. Remplis les espaces vides selon tes goûts.

COMMENT
ON FAIT L'AMOUR ?

Faire l'amour, c'est s'offrir un terrain de jeu et d'exploration. Le but est de découvrir, à tâtons, ce que ça va donner entre vous ! Certains couples vont être plutôt sportifs, avec changements de positions réguliers, d'autres seront plutôt du genre "je te regarde dans les yeux, romance style, et on cherche la communion dans un orgasme simultané". C'est la connexion entre vous deux qui va faire naître votre façon de faire.

Le début d'une pénétration se fait doucement, par petits à-coups. Le rythme peut augmenter ensuite. Dans le même temps, on peut s'embrasser ou se caresser. Il n'y a pas d'obligation à changer de position régulièrement. Seule l'envie doit guider les décisions, et les possibilités sont nombreuses.

Des positions à la carte

Si on insiste sur la confiance dans les rapports sexuels, c'est parce qu'il faut que les partenaires se sentent libres de dire ou montrer ce qu'ils ont envie de faire. L'un propose une position, l'autre réagit. Certaines positions procurent du plaisir aux deux, simultanément, mais parfois, c'est l'un qui s'occupe de l'autre. La politesse, le respect et l'envie de partager font qu'ensuite, celui qui a le plus reçu donne à son tour. La position la plus connue est celle du missionnaire. La fille est allongée sur le dos, et son/sa partenaire la pénètre de face. Simple mais efficace, cette position permet de trouver facilement l'entrée du vagin, et surtout de se regarder dans les yeux, ce qui peut être en même temps très romantique et très excitant. Quand l'un(e) est à quatre pattes et que son/sa partenaire se situe derrière, on appelle cela une levrette. C'est aussi la position la plus simple pour une pénétration anale. Dans ces deux cas, c'est celui qui pénètre qui donne le rythme et l'autre peut l'accompagner avec des mouvements du bassin. La fille peut aussi chevaucher son/sa partenaire et prendre en charge les va-et-vient. À partir de ces positions de base, tout est possible. On peut faire l'amour debout, assis, allongé, sur le côté. On peut être habillé, nu ou à moitié débraillé. L'inventivité vient avec l'expérience !

Le sexe entre filles

Entre filles, on se caresse et on s'embrasse, mais aussi on se masturbe et on se pénètre. Les positions sont les mêmes que dans un couple hétéro, sauf que la pénétration se fait avec les doigts ou avec un sextoy*. Beaucoup de lesbiennes pratiquent aussi la position dite "du ciseau". Allongée sur le côté, chacune dans un sens opposé à l'autre, l'une se glisse entre les jambes de sa partenaire pour que les sexes puissent se frotter. Le sexe oral (cunnilingus*, 69*) prend aussi une importance accrue.

Le sexe entre garçons

La sexualité gay est également riche et diversifiée. Les garçons entre eux s'embrassent, se caressent, se masturbent et se font des fellations*. Si la sodomie est une pratique courante, elle n'est pas systématique. Certains s'identifient comme "actifs" - c'est-à-dire comme celui qui pénétrera l'autre lors d'une sodomie -, d'autres comme "passifs" - celui qui sera pénétré -, mais les rôles ne sont pas toujours si déterminés. Certains garçons homosexuels ont envie de pénétrer et d'être pénétrés. Pour d'autres, la question ne se pose même pas, car ils n'aiment pas la sodomie.

Le sexe n'est pas une compétition

Tant que l'on ne fait que des choses dont les deux partenaires ont envie, toutes les pratiques sont permises et aucune n'est mauvaise. Cependant, il faut faire attention à ne pas brûler les étapes. Les éjaculations faciales, la sodomie ou le triolisme* peuvent apporter beaucoup de plaisir. Le seul problème, c'est quand on se sent obligé d'avoir coché toutes les cases pour le principe de l'avoir fait. Plein de choses s'invitent avec nous sous la couette : la pression du groupe, les films pornos qu'on a vus, la peur d'être trop niais..., si bien que beaucoup de jeunes se sentent obligés d'être une "bonne salope" ou un "dieu du sexe" et d'avoir des pratiques osées très tôt. Le problème, c'est que la sexualité est un apprentissage. Si l'on va plus vite que la musique, on risque vraiment d'abîmer son estime de soi, et ça, c'est difficile à réparer. Alors mieux vaut prendre le temps de bien profiter de chaque étape avant de passer à la suivante.

ALERTE SUR L'OREILLER

Ce qui rend parfois inquiétantes
les relations sexuelles, c'est que certains
s'en servent pour dominer leur partenaire,
et c'est particulièrement destructeur.
Il faut que tu sois très vigilant(e) là-dessus
et que tu fasses appel à tout ton bon sens
et à ton intelligence. Il y a une vraie
différence entre jouer à être dominé(e)
parce qu'on trouve ça sexy, et être
réellement dominé(e). C'est parfois flagrant,
mais ça se joue souvent dans les détails.
Si tu t'es senti(e) méprisé(e) à un moment
ou à un autre, même si tu ne sais pas
vraiment mettre des mots dessus, il faut
rétablir un équilibre ou partir. Si tu fais
l'amour pour quémander de l'attention
ou en espérant que l'autre finisse
par t'aimer, laisse tomber, ça n'est pas sain,
tu risques d'être très déçu(e) et blessé(e).

OH OUI, oh oui, OH OUI

Des cris incontrôlables de plaisir, la Terre qui s'arrête de tourner, un moment de communion inégalable dans le couple, puis le sourire en banane jusqu'au lendemain, c'est vrai que tout ceci donne bien envie d'avoir un orgasme ! Dans la réalité, rien n'arrête la course de la Terre, mais ce moment de summum du plaisir et la détente qui s'ensuit valent vraiment le coup.

Quand on stimule les parties génitales, le plaisir monte, la respiration et le rythme cardiaque s'accélèrent, et tout cela peut mener jusqu'à l'orgasme*. À ce moment, les muscles du sexe sont pris de petites contractions, et on se retrouve comme submergé par le plaisir pendant quelques secondes. Pour les garçons, l'orgasme le plus connu est celui obtenu *via* le pénis. Mais ils ont aussi le moyen de l'atteindre par pénétration anale. C'est ce qu'on appelle l'orgasme prostatique. Pour les filles, il existe l'orgasme vaginal, le clitoridien et l'anal. Le clitoridien semble plus courant et n'est donc pas atteint par pénétration mais par la stimulation du clitoris (masturbation, cunnilingus).

L'orgasme ne vient pas sur commande

On peut ne pas avoir eu d'orgasme et avoir adoré le rapport sexuel que l'on vient d'avoir. On ne mesure pas la réussite d'un rapport sexuel selon qu'on a atteint l'orgasme ou pas, mais plutôt selon le plaisir qu'on a eu. Quand on lit les magazines, aujourd'hui, on a l'impression que l'orgasme est quasi obligatoire. C'est complètement irréaliste. Ça déboussole les garçons, qui se retrouvent à angoisser comme des dingues, et les filles qui sont inquiètes d'être frigides ou en veulent à leur partenaire si elles ne l'atteignent pas. Si tu as eu un orgasme, tant mieux. Si tu n'en as pas eu, mais que tu as ressenti beaucoup de plaisir, tout va bien. Par ailleurs, l'orgasme simultané est rarissime. Et s'il est très gratifiant et agréable, on peut difficilement se fixer comme but de l'atteindre à chaque fois !

L'ORGASME ET SES LIQUIDES

Chez les garçons, les premières éjaculations apparaissent le plus souvent entre douze et quinze ans au cours des fameux “rêves mouillés”, c'est-à-dire pendant leur sommeil. Au départ, le sperme* est souvent transparent. Il ne devient blanc qu'un peu plus tard. Même si l'urine et le sperme sortent par le même trou, ils ne peuvent se mélanger. Quand on éjacule, un clapet fait barrage à l'urine. Contrairement à ce que l'on pourrait croire, l'éjaculation n'est pas forcément le signe d'un orgasme. Les hommes peuvent éjaculer sans en avoir, ou inversement, même si souvent ça coïncide. Certaines filles voient beaucoup de liquide sortir de leur sexe au moment de l'orgasme. Il ne s'agit pas de pipi, même si ça sort effectivement par le méat urinaire. C'est un liquide incolore et inodore plutôt proche de l'eau. On dit de ces filles qu'elles sont des femmes fontaines. Ça n'est pas une anomalie, plutôt une caractéristique. C'est assez rare pour que ça puisse surprendre la première fois, mais il n'y a aucune raison de mal réagir. C'est même plutôt la preuve qu'elles ont pris beaucoup de plaisir !

ALORS CLITORIDIENNE OU VAGINALE ?

Retournons la question aux garçons. Glandu ou testiculaire ? Chacun a bien évidemment ses goûts et préférences, mais chercher à se situer ou à mettre l'autre dans un tiroir très précis, c'est espérer trouver une recette magique que l'on appliquerait à chaque rapport. Pourtant, rien n'est plus ennuyeux que quelqu'un qui fait l'amour de la même façon à chaque fois ! Ce sont la découverte et la fantaisie qui rendent la sexualité vivante et attirante.

Cette importance démesurée accordée à la question du clitoris ou du vagin est la conséquence des tâtonnements de la psychanalyse*. À l'époque, Freud avait dit que le plaisir clitoridien était celui des petites filles, signe d'une sexualité immature, et que les vraies femmes devaient absolument avoir des orgasmes vaginaux. Ça a fait ricaner pas mal de concernées, par la suite, qui y voyaient surtout une tentative désespérée de prouver que les femmes avaient à tout prix besoin d'un pénis, et donc d'un homme, pour trouver leur plaisir. Quand on sait qu'une grande majorité des femmes déclarent ressentir des orgasmes plutôt grâce à leur clitoris, on peut difficilement décréter qu'elles sont toutes immatures !

Clitoris et vagin, le plaisir partagé

On sait aujourd'hui qu'il n'y a pas à inventer de hiérarchie entre les plaisirs. Le clitoris est un organe qui dépasse un peu – le fameux bouton magique, merci la nature ! – mais dont les racines sont situées beaucoup plus profondément dans les parois du vagin. Le plaisir vaginal est donc aussi lié au clitoris, c'est la partie immergée de l'iceberg. Ce que l'on appelle le point G* est situé dans le vagin côté pubis, à quelques centimètres du seuil d'entrée, et correspond justement aux racines du clitoris.

Autant il faut se découvrir, connaître ses préférences, ses fonctionnements, autant il ne faut pas que cette connaissance te limite dans une routine. À chaque rapport ses nouvelles envies, il suffit d'être à l'écoute.

"Dis, t'as souvent fait l'amour, toi ?
– Quoi, tu veux dire aujourd'hui ?
Oh, pas tant que ça…"

FRIENDS

COMBIEN DE FOIS ON FAIT L'AMOUR ?

"Ai-je ou vais-je rencontrer suffisamment de partenaires ?" "Faisons-nous assez souvent l'amour ?" Dès que l'on parle de chiffres, c'est la panique à bord ! Ces questions sont communes à tout le monde. Derrière elles, la véritable interrogation est : "Suis-je normal(e) ? Suis-je assez bien ?" Il n'y a pas de réponse simple.

Il existe des gens qui font l'amour plusieurs fois par jour. D'autres ne l'ont pas fait depuis plusieurs années. Certains ont eu des centaines de partenaires, d'autres un(e) seul(e). Dans chaque catégorie, on rencontre des personnes heureuses, et d'autres malheureuses. La question qu'il faut plutôt te poser est : "Ai-je une vie sexuelle qui me satisfait ?" Mais encore faut-il que tu ne te sentes pas obligé(e) de correspondre à une norme, et que tu n'aies pas peur du regard des autres !

Le poids de la tradition

Chez les garçons, il a toujours été bien vu qu'ils aient de nombreux rapports sexuels avec une multitude de partenaires différentes. Certains en rajoutent un peu pour faire les coqs. Côté filles, on a plutôt tendance à ne pas en avouer trop, mais sans vouloir passer pour une oie blanche non plus. Tout ceci est dû à une vision passéiste des rapports hommes-femmes dans laquelle les hommes devaient être conquérants et prouver leur virilité par le nombre de leurs conquêtes. Les femmes, elles, devaient rester passives et rêver au prince charmant, en espérant qu'il ne tarde pas trop et qu'il reste longtemps. En réalité, l'écart est moins grand qu'on pourrait le croire, et avec les remises en cause du machisme*, il tend à diminuer encore.

CHEZ TOI OU CHEZ MOI ?

Chez les jeunes se pose déjà le problème de trouver où et quand faire l'amour. Toutes les familles ne sont pas forcément prêtes à héberger pour la nuit le copain ou la copine de leur progéniture. C'est pourtant le meilleur moyen de s'assurer que les amoureux ne finissent pas par se retrouver dans des endroits glauques et peu appropriés. Si vraiment ils refusent, il paraît plus raisonnable – et agréable – de trouver une personne qui te prête son appartement plutôt que d'aller t'enfermer dans les toilettes publiques.

ACCORDER SES VIOLONS

Ton désir n'aura pas forcément le même rythme que celui de ton/ta partenaire. Et dans ce cas-là, celui des deux qui n'a pas envie doit pouvoir dire non. On fait l'amour par désir, et non par peur d'être plaqué ou pour avoir la paix. Chacun son tempo. Il faut en discuter pour que cela ne se transforme pas en tabou dans le couple, mais le désir ne vient pas à force d'arguments. Plus que des discussions, c'est surtout la tendresse et la confiance qui peuvent parvenir à surmonter un problème de désir dans un couple. Sache aussi que le rythme des envies évolue constamment au cours de la vie. Tu traverseras des périodes de fort appétit, et des moments de creux, c'est ainsi.

FAUT-IL RÉALISER SES FANTASMES ?

Tu ressens de troubles pulsions pour un professeur ? Tu rêves de faire l'amour en public ou à plusieurs ? Tu t'imagines suçoter voluptueusement des doigts de pieds ou griffer ton/ta partenaire ? Ces idées sont ce qu'on appelle des fantasmes. Certains sont destinés à être vécus, et d'autres pas du tout.

Les fantasmes servent de nourriture à ta sensualité*. Les mécanismes de leur formation sont très compliqués et en lien avec ta prime enfance et ton histoire personnelle. Souvent, ils évoluent au cours de la vie.

Certains peuvent être très classiques, comme faire l'amour sous la douche. Il y a de grandes chances que tu les mettes à exécution un jour et que ça te plaise. D'autres sont plus originaux, comme renifler des chaussures ou faire l'amour habillé en pompier. Tu découvriras en grandissant s'il s'agit de pratiques dont tu aimes rêver, ou que tu as réellement envie de mettre en œuvre. Certains sont juste impossibles, comme se faire une fellation à soi-même (la fameuse auto-pipe, fantasme courant chez les garçons !), mais il n'y a pas de mal à en rêver.

Les fantasmes violents

Certains fantasmes peuvent être carrément terrifiants, comme être battu, violé ou étrangler quelqu'un. Ces fantasmes ne sont pas monstrueux en soi. C'est le passage à l'acte qui l'est. Si ça te plaît d'imaginer un scénario un peu violent comme support à ton désir sexuel, il ne faut pas que tu t'inquiètes, car ce que tu imagines n'est pas à prendre au pied de la lettre. Prenons le fantasme du viol, qui est assez courant. Il ne signifie pas que la personne a envie d'être violée dans la vraie vie. C'est plutôt l'inconscient des personnes qui ne s'autorisent pas à ressentir du désir qui utilise ce subterfuge. Ainsi, les pulsions sexuelles s'expriment, et la personne parvient à ne pas se sentir coupable, puisque même dans son imaginaire, l'acte sexuel s'est fait malgré elle. D'une manière générale, les fantasmes violents agissent comme des exutoires et permettent de se défouler de l'agressivité qui est en nous, sans jamais passer à l'acte. Si jamais tu as ce genre de fantasmes, rassure-toi sur ta normalité, mais tu peux te passer d'aller voir les vidéos correspondantes, qui peuvent être très choquantes, et dont on n'est jamais sûr des conditions dans lesquelles elles ont été tournées. Si tu t'inquiètes d'avoir vraiment envie de réaliser un fantasme violent, va en parler rapidement à quelqu'un de compétent. Le spécialiste le plus à même d'aider dans ces cas-là peut être un psychothérapeute ou un sexologue.

LES SEXTAPES
UN JEU DANGEREUX

Toutes ces sextapes* de stars qui surgissent “malencontreusement” sur internet donnent parfois l’impression que se filmer en pleine action et s’envoyer des photos érotiques, c’est le b-a-ba d’une relation cool. Pourtant il n’est pas toujours facile, pour une star, de voir son intimité exposée aux yeux de tous. Et pour une personne lambda, cela peut se révéler carrément dramatique.

Ne prends aucune photo ou vidéo de toi que tu ne pourrais pas assumer devant ta famille, tes amis ou un futur employeur. Même des photos envoyées par des applications censées effacer les images au bout de quelques secondes, comme Snapchat, peuvent être enregistrées par le destinataire. Envoyer ou laisser prendre des images érotiques ou pornographiques de toi, c’est donner beaucoup de pouvoir à ton/ta partenaire. Même si tu as confiance en lui/elle, tu n’es pas à l’abri d’une dispute future, ou qu’il/elle se fasse voler son portable. Le mieux est donc de ne pas accepter ce petit jeu tant que tu n’es pas engagé(e) depuis longtemps dans une relation stable avec une personne de confiance ET pas trop immature. Et même dans cette situation, n’accepte pas que ton visage apparaisse à l’écran.

Le porno de la revanche

Si tu te retrouves en possession d’images compromettantes de ton/ta partenaire, tu n’as pas le droit de les montrer à qui que ce soit. Ne pas respecter cette règle est inadmissible, même si vous vous disputez, même si tu estimes que l’autre t’a trahi(e) de son côté. Il n’y a aucune excuse à cela, ni la vantardise, ni l’étourderie, ni la pression de ton groupe d’amis.

On appelle aujourd’hui *“revenge porn”* cette terrible trahison qui consiste à mettre sur internet des images intimes de son ex pour se venger d’avoir été plaqué. Ça a fait grand scandale aux États-Unis et c’est déjà arrivé en France. C’est totalement interdit, bien sûr, et les députés viennent d’alourdir les peines prévues dans ce cas. À présent, transmettre ou diffuser des images ou sons à caractère sexuel d’une personne sans son consentement est passible de dix-huit mois d’emprisonnement et de 60 000 euros d’amende. La meilleure façon de réagir quand on se retrouve avec des photos de son ex, c’est de les effacer. Et si on est victime d’un partenaire indélicat qui a mis des images sexy de soi en ligne, il faut porter plainte et faire retirer ces images d’internet.

LE X AUX RAYONS X

Des types avec des sexes énormes qui tiennent des érections spectaculaires et enchaînent les pénétrations violentes, et des filles à gros seins et complètement épilées qui acceptent avec joie de se faire humilier… Voilà ce que l'on voit dans la majorité des films pornographiques, mais crois-tu que cela correspond à ce que tes partenaires vont attendre de toi ?

Ce que l'on appelle la pornographie, ce sont des actes sexuels hors norme, filmés dans le but d'être des supports à la masturbation. L'idée est justement de ne pas montrer de rapports sexuels normaux, ni accessibles. Un type qui ferait l'amour comme un acteur pornographique serait considéré comme un très très mauvais amant par ses partenaires. À l'inverse, les films romantiques montrent souvent le sexe de façon très niaise, avec des personnages qui font l'amour habillés, et à qui le moindre bisou fait monter des larmes d'émotion. La vraie vie est différente.

L'angoisse de la performance

La navigation sur le web mène facilement à des vidéos très choquantes et violentes. À l'âge où on rigole avec les copains en regardant des films sexy, on peut se retrouver à voir des images qu'on aurait préféré ignorer. C'est encore plus culpabilisant quand on est épouvanté dans sa tête, mais excité sexuellement. Et puis c'est très stressant pour les novices. Les garçons ne peuvent que constater que leur pénis fait la moitié de la taille de ceux des acteurs, et les filles croient qu'il va leur falloir accepter toutes ces pratiques

que les actrices X semblent tant apprécier. C'est faux. Pour ces raisons, on considère qu'il vaut mieux ne pas passer trop de temps devant des images pornographiques quand on est encore jeune et inexpérimenté. Elles donnent une image fausse et angoissante de la sexualité à ceux qui n'ont pas encore trouvé leur style.

Des films qui dévalorisent les femmes

Si les acteurs ont des sexes énormes, ça n'est pas pour faire plaisir aux actrices, mais pour flatter les spectateurs masculins qui s'identifient à eux. Pour cette même raison, les hommes sont majoritairement montrés comme dominateurs et les femmes comme soumises. Leur plaisir semble souvent mêlé de douleur, comme s'il était normal qu'une femme souffre au lit. Les acteurs manipulent les actrices comme des poupées désarticulées, leur lèvent les jambes, les retournent, sans le moindre échange affectif entre eux. Cela vient du fait que traditionnellement, les films pornos s'adressent aux hommes. On assiste aujourd'hui à quelques tentatives de créer une pornographie pour les femmes, mais cela reste rare. En attendant, les rapports sexuels IRL *(in real life)* sont supposés apporter du plaisir aux filles comme aux garçons, et ne sont donc pas censés se dérouler comme dans les films X.

Les acteurs et leur plaisir

Dans les films, les personnes que l'on voit à l'écran sont des acteurs spécialisés. Leur métier est de jouer la comédie et d'avoir des rapports sexuels filmés. Donc quand un acteur ou une actrice pousse de grands cris de jouissance, il fait seulement son métier : simuler l'orgasme quand le réalisateur lui demande de simuler l'orgasme. Personne ne se préoccupe de savoir s'il a réellement ressenti du plaisir ou pas. Les acteurs pornos ont choisi cette vie pour des raisons qui leur sont propres, ils ont signé leur contrat et gagnent leur salaire de cette façon, mais leur vie sexuelle personnelle est tout autre. Eux aussi ont besoin d'affection et d'une connexion privilégiée avec leur partenaire dans leurs rapports sexuels privés.

Silence, moteur, action !

Sur le plateau de tournage, les scènes sont tournées plusieurs fois, et on déplace la caméra de façon à filmer la séquence sous plusieurs angles. Plus tard, un monteur regardera toutes les images filmées et choisira les moments les plus impressionnants. Il fabriquera le film d'un seul rapport sexuel en mettant bout à bout des images tournées pendant plusieurs prises différentes. Il peut donc facilement faire croire qu'un rapport sexuel a duré très longtemps, même si c'est faux.

Comme le plaisir sexuel ne se voit pas forcément, la meilleure façon de bien montrer que les personnages du film jouissent est de faire crier les acteurs très fort. Ces cris systématiques ne reflètent donc pas la réalité. De même, de nombreuses positions assez sportives n'ont pas été choisies pour leur capacité à faire jouir, mais pour permettre à la caméra de bien voir les parties génitales de chaque acteur. Pour cette même raison, les actrices X ont commencé à s'épiler totalement le pubis : pour rendre visible leur sexe à la caméra. La façon d'avoir un rapport sexuel dans un film porno n'a donc pas beaucoup de liens avec la réalité. Il n'y a aucune raison de chercher à reproduire ces pratiques en dehors de ce contexte de tournage.

Et la tendresse dans tout ça ?

La sexualité, telle qu'elle est montrée dans les vidéos X, est un enchaînement de performances techniques. Les pornos gays et lesbiens n'échappent pas à la caricature. Les rapports entre garçons y sont souvent montrés comme assez violents, et ceux entre filles sont une course à l'orgasme aussi peu vraisemblable que les scènes de porno hétéro. Ce que la pornographie ne filme pas, parce que ça n'est pas son but, c'est toute la dimension affective. Or, dans les rapports sexuels réels, l'affectivité est primordiale ! Même sans tomber dans un romantisme béat, les êtres humains font l'amour en étant connectés l'un à l'autre, et la tendresse est une composante essentielle pour rendre un rapport sexuel heureux, particulièrement quand on débute en la matière !

PORNO AMATEUR
Aujourd'hui, toute une production dite
"non professionnelle" est arrivée
sur internet, entretenant encore
plus gravement la confusion entre
la sexualité X et celle des couples réels.
Le problème, c'est qu'une bonne partie
des vidéos vendues comme "amateurs"
sont complètement professionnelles.
Deuxièmement, on peut tomber
sur des films pornographiques dont
on n'a pas l'assurance que les participants
étaient vraiment libres de leurs choix.
Troisièmement, ces "amateurs" qui filment
leurs ébats ont justement une sexualité
très particulière. Ils imitent la sexualité
pornographique, qui est tout à fait spéciale.

LE SEXE ET LA SANTÉ !

Faire l'amour, c'est bon pour la santé, c'est bon pour le moral, ça fait faire du sport, ça libère des hormones qui font baisser le stress, bref, c'est excellent pour l'hygiène de vie, mais à une condition seulement : se protéger contre les infections sexuellement transmissibles (IST). Le VIH, la syphilis, la blennorragie, le papillomavirus, l'herpès génital, l'hépatite B sont les principales IST. Certaines sont plutôt bénignes mais doivent être soignées pour éviter des complications, d'autres sont très problématiques. Certaines sont extrêmement courantes, et il ne faut pas forcément se fier à ton/ta partenaire, qui ignore peut-être être porteur (-se) d'une IST.

Si un jour ta relation devient un couple stable, et que toi et ton/ta partenaire vous vous engagez à la fidélité, vous pourrez passer les tests de dépistage des IST. Si aucun des deux n'est porteur d'une infection, alors vous pourrez faire l'amour sans protection (mais toujours avec contraceptif). En attendant, quel que soit ton passé et celui de ton/ta partenaire, vous devez prendre soin de vous. On constate ces dernières années que les jeunes ne se protègent plus assez et que les contaminations ont tendance à augmenter, alors voici comment éviter les problèmes.

Des boucliers contre les IST

Tout d'abord, tu peux discuter avec tes parents et/ou ton médecin de la possibilité de te faire vacciner contre l'hépatite B (pour les garçons et les filles) et le HPV – le papillomavirus humain – (pour les filles seulement, et avant le premier rapport sexuel. Ce vaccin est remboursé quand il est pratiqué sur une jeune fille âgée de onze à vingt ans).

Ensuite, il faut te protéger lors de chaque rapport sexuel, qu'il soit hétéro, gay ou lesbien. Dans la sexualité, chacun est responsable de lui-même. Dire : "je te fais confiance, je ne mets pas de capote", c'est complètement à côté de la plaque. Le préservatif protège du VIH (virus responsable du sida) et des autres IST. Il faut en utiliser pour tous les types de rapports sexuels impliquant une pénétration, qu'elle soit vaginale, anale ou bucco-génitale. On peut attraper une IST en prodiguant une fellation à une personne infectée, *via* le liquide pré-éjaculatoire* et le sperme. Dans ce cas aussi, il faut se protéger. Si un sextoy est utilisé par deux personnes différentes, il faut le couvrir d'un préservatif qui sera changé entre les deux utilisateurs.

On ne peut pas attraper le VIH en pratiquant un cunnilingus, sauf en cas de contact avec le sang des règles. D'autres IST peuvent par contre être transmises à tout moment du cycle menstruel. Pour les cunnilingus, on peut utiliser des digues dentaires. Il s'agit en fait de petits carrés en latex, comme les préservatifs, que l'on peut trouver en pharmacie ou dans certains centres de prévention.

Le dépistage, un bon réflexe

Si tu penses avoir pris un risque en ayant eu un rapport sexuel non protégé ou si le préservatif a craqué, tu dois aller faire un test de dépistage, même si tu ne ressens aucun symptôme. Certaines infections ne se déclarent que tardivement, et il vaut mieux se soigner au plus vite. D'autres IST peuvent ne pas produire de conséquences gênantes chez toi mais s'avérer très sérieuses chez ton/ta partenaire si tu le/la contamines. Par exemple, la chlamydiose non traitée reste silencieuse longtemps mais peut provoquer chez l'homme une prostatite (inflammation de la prostate) douloureuse et chez la femme une salpingite (inflammation d'une ou des deux trompes de Fallope) pouvant entraîner une stérilité. Pour les filles, un frottis régulier chez un gynécologue est aussi nécessaire pour surveiller sa santé, notamment les anomalies liées au papillomavirus.

Une IST, ça se soigne !

Si ça chatouille, ça gratouille, ou même ça coule, tu dois consulter un médecin. Une IST ne se soigne pas toute seule mais, avec le bon traitement, on sait en guérir beaucoup. Plus tu te soignes rapidement, plus tu as de chances d'éviter les complications. Chez les filles, de petits écoulements ne sont pas forcément un problème. Ces pertes blanches sont la conséquence de l'hydratation du vagin et de sa capacité à s'auto-nettoyer. Leur quantité varie au cours du cycle. Il ne faut pas chercher les stopper, elles sont utiles. En revanche, si elles deviennent inhabituellement abondantes et qu'elles sentent mauvais, il s'agit peut-être d'une vaginose (infection due à un déséquilibre de la flore vaginale et qui se soigne bien). Chez les garçons comme chez les filles, une sensation de démangeaison ou de brûlure peut être due à une mycose (infection due au développement d'un champignon). Un simple traitement prescrit par un généraliste ou un gynécologue pourra certainement en venir à bout.

OÙ SE FAIRE DÉPISTER ?

Il existe deux types de structures accessibles partout en France, les CDAG (centres de dépistage anonyme et gratuit) et les CIDDIST (centres de dépistage et de diagnostic des infections sexuellement transmissibles). Tout est fait pour que les démarches soient les plus simples possibles. C'est gratuit et anonyme, pour les mineurs aussi. Tu trouveras à la fin de ce livre un lien internet pour repérer le centre le plus proche de chez toi.

ON EN EST OÙ AVEC LE VIH ?

Les personnes infectées par le VIH sont dites séropositives. Elles risquent plus tard de développer le sida, maladie dont on ne guérit toujours pas. Elles peuvent avoir une espérance de vie aussi longue que les séronégatifs (qui n'ont pas été contaminés par le VIH), à condition d'être prises en charge très rapidement, mais ce sera au prix d'un traitement à vie avec son cortège d'effets secondaires. Le VIH reste une infection très grave et de nombreuses personnes meurent toujours du sida dans le monde. On vend à présent des autotests à faire chez soi, mais attention, ils ne peuvent détecter le virus que chez une personne qui aurait été contaminée il y a plus de trois mois. Si tu as pris un risque, le mieux est de ne pas attendre si longtemps et d'aller te faire dépister dans un centre au plus tôt.

"La taille importe peu. Regarde-moi. Est-ce par ma taille que tu peux me juger ? Eh bien, tu ne le dois pas."

MAÎTRE YODA

QUAND LE SEXE POSE PROBLÈME

Trop, trop peu, trop mou, trop rapide, trop lent, jamais comme il faut… Pour les garçons, la pression est énorme ! Beaucoup d'entre eux ont l'impression qu'aucune erreur ne leur sera pardonnée au lit, et ils s'inquiètent de leurs performances. Si les filles sont moins soumises à la tyrannie de devoir assurer, elles peuvent aussi ressentir des difficultés. Au final, rares seront les chanceux à ne jamais rencontrer de problèmes. Tant qu'ils ne sont pas envahissants, ça n'est pas grave, ça arrive à tout le monde. Mais si cela prend des proportions inquiétantes ou frustrantes, il y a des moyens de réagir.

La première inquiétude des garçons est celle de la taille. La taille moyenne d'un sexe au repos n'a aucune importance dans un rapport sexuel. À la fin de leur puberté, 90 % des hommes ont un pénis dont la longueur se situe entre 10,5 et 16 cm en érection. On parle de micropénis quand la longueur de la verge d'un adulte en érection ne dépasse pas 7 cm. Il existe des opérations chirurgicales pour allonger ou épaissir le pénis, mais elles ne sont pas sans risque. Il n'est pas conseillé de se faire opérer en dehors des cas de micropénis qui empêchent d'avoir une vie sexuelle.

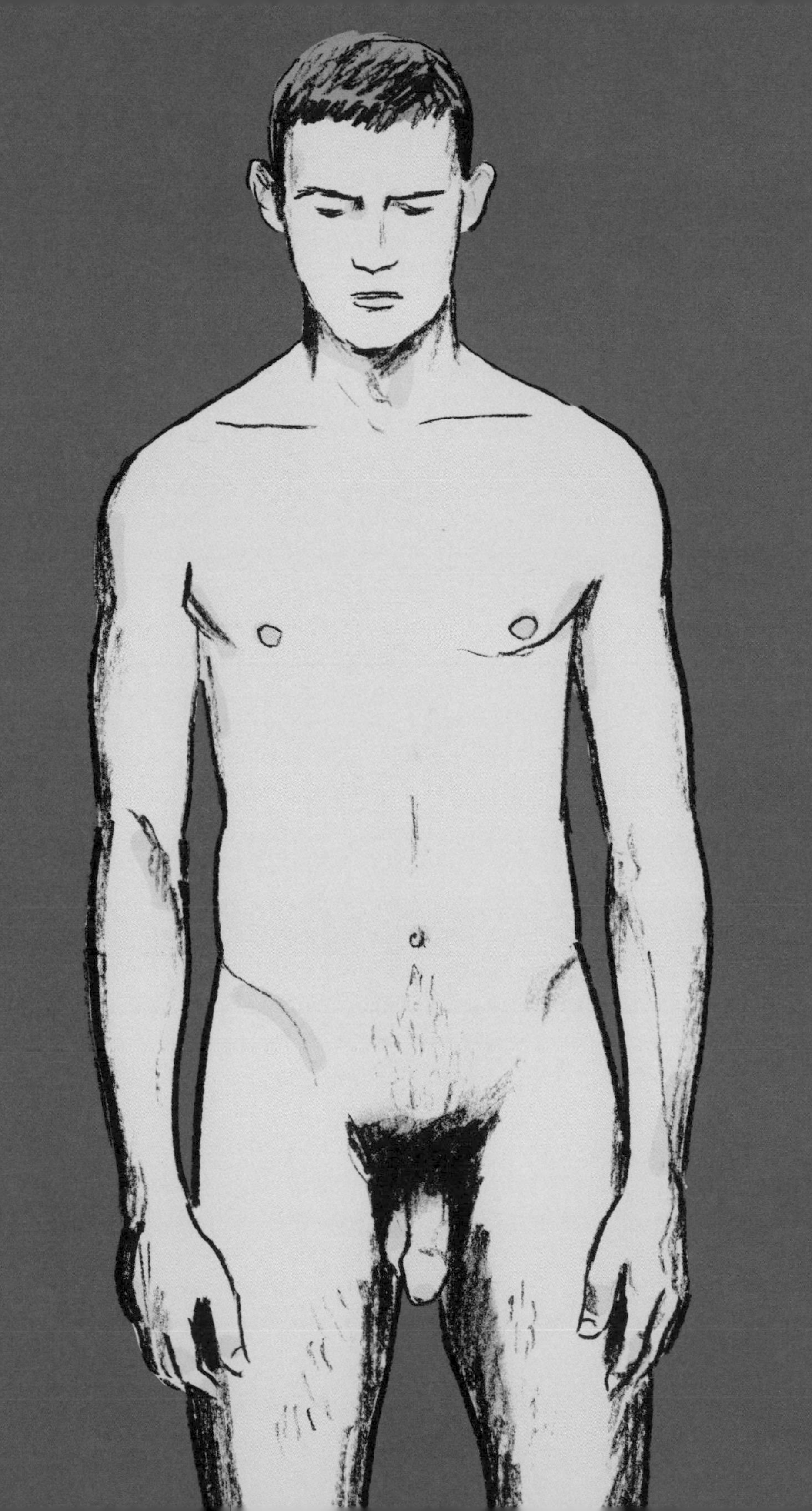

PETIT SEXE ? DON'T PANIC !
L'inquiétude d'avoir un pénis trop petit touche beaucoup de garçons, même si la plupart sont tout à fait normaux. Certains croient que c'est à cela qu'on mesure leur virilité, ce qui est faux. Ni la vigueur ni la fertilité ne dépendent de la taille du sexe. D'autres ont peur de ne pas pouvoir assurer pendant les rapports sexuels, ce qui est faux aussi. Le vagin des filles fait généralement de 8 à 12 cm de longueur. Il est très élastique et s'adapte à la taille du sexe qu'il reçoit. De plus, il est surtout sensible à quelques centimètres de l'entrée, il est donc tout à fait possible de donner beaucoup de plaisir à une fille, même avec un pénis de petite taille.

Des érections et des éjaculations capricieuses

Quand on ne parvient pas à bander vraiment, on parle d'impuissance. C'est un terme très violent qui montre bien la pression que les garçons subissent. Il est rare qu'un garçon encore jeune ne puisse pas du tout avoir d'érection, de façon permanente, à cause d'un problème physique. Il arrive par contre à tout le monde d'avoir une panne, et même plusieurs ! Les hommes ne sont pas des machines, il ne suffit pas d'appuyer sur un bouton pour que l'érection arrive de façon automatique ! Le stress, la timidité, le manque d'envie mais aussi un lieu ou un moment mal choisis peuvent faire barrière. Reste le problème de l'éjaculation. Très importante symboliquement pour beaucoup de garçons, une éjaculation précoce ou tardive n'empêche pourtant pas du tout d'avoir des rapports sexuels très chouettes. L'expérience te permettra sans doute de mieux contrôler le moment de l'éjaculation.

Comment assurer malgré les difficultés ?

Si jamais tu ressens un de ces problèmes liés au pénis, la solution reste la même pour tout le monde : faire l'amour avec tout son corps et non pas seulement avec son sexe. On considère qu'un garçon inventif, et qui sait multiplier les caresses, est un bon amant. Tu as toutes les chances de pouvoir faire grimper ton/ta partenaire aux rideaux, et d'en tirer toi-même beaucoup de plaisir si tu développes ta sensualité. On peut avoir des pratiques très excitantes et stimuler beaucoup de zones de plaisir en se frottant, en caressant avec les mains, les doigts, en embrassant. On peut même faire atteindre l'orgasme ! Et si tu as peur de ne pas éjaculer, concentre ton attention sur ton plaisir sans focaliser sur ton orgasme. Celui-ci aura d'autant plus de chances de venir si tu ne bloques pas dessus. Et s'il ne vient pas, tu auras tout de même fait le plein de sensations et eu un rapport sexuel très satisfaisant.
Si vraiment ta verge te pose des problèmes que tu n'arrives pas à dépasser, tu peux en parler à un médecin généraliste, un urologue,

ou à une association comme le Planning familial. Mais si tu souffres de priapisme, il faut filer aux urgences. Le priapisme est une affection très rare qui provoque des érections très fortes, qui viennent toutes seules, sans stimulation sexuelle, et qui durent plusieurs heures. C'est douloureux, et cela peut endommager le pénis. Heureusement, les médecins urgentistes savent traiter cela.

Les difficultés des filles

Les filles sont moins soumises à cette pression de performance. Elles peuvent néanmoins aussi rencontrer des problèmes. Certaines ressentent des douleurs au moment de la pénétration, et même une impossibilité à être pénétrées. Il existe plusieurs causes possibles. Quelques rares cas de malformations génitales peuvent empêcher le passage du pénis dans le vagin. Il peut aussi s'agir d'une IST, d'une mycose ou d'une maladie gynécologique. En cas de douleur au moment de la pénétration, il ne faut donc pas insister et prendre rendez-vous chez le médecin. Certaines femmes souffrent d'un manque de lubrification du vagin. Dans ce cas, une visite chez le gynécologue suffira sans doute à déterminer la cause et à trouver une solution. Enfin, cela peut être dû à un blocage psychologique. On parle de vaginisme quand les muscles péri-vaginaux se contractent automatiquement, rendant douloureuse ou impossible toute tentative de pénétration. C'est une réaction du corps à la peur d'être pénétrée. La cause a beau être psychologique, le vaginisme n'en reste pas moins un problème à prendre au sérieux et à traiter avec délicatesse. Il ne faut surtout pas chercher à forcer le passage ! De nos jours, les sexologues savent aider les femmes qui en souffrent.

Le désir qui va et qui vient

Enfin, pour les garçons comme pour les filles, il reste le problème du désir. Certains en ressentent plus que d'autres. Certaines personnes sont "toujours prêtes" pour un rapport sexuel. D'autres ont des envies régulières. Et pour d'autres encore, il faut que beaucoup de conditions soient réunies pour que cela marche, et ça n'arrive pas souvent. Il se peut que le manque de désir traduise un problème de couple. Si c'est ton cas, peut-être que ta compagne ou ton compagnon ne te correspond pas, ne déclenche pas de désir chez toi. Peut-être que tu es en colère contre lui ou elle, et qu'il faudrait que vous vous parliez sincèrement. Il se peut aussi que ça soit le sexe en général qui ne t'intéresse pas trop. Si cela ne te fait pas souffrir, ça n'est pas un problème. Tu as bien le droit de vivre comme tu le veux. Si cela te pose des difficultés, tu peux trouver un psychologue ou un sexologue à qui en parler.

SALOPE
L'INSULTE SUPRÊME

Les seules personnes qui ne méritent pas de respect sont celles qui font volontairement du mal aux autres. En dehors de ça, il n'y a pas de lien entre la sexualité et la respectabilité. Une fille qui couche avec qui elle veut, de la façon qui lui plaît, sans se moquer de ses partenaires, est respectable. C'est pareil pour les garçons, sauf qu'eux ont la chance de ne jamais se faire traiter de "salope". Pourquoi ? Parce que traditionnellement, on n'attend pas d'eux qu'ils soient fous amoureux pour se permettre de faire l'amour.

"Salope" est une insulte fourre-tout qui permet de faire du mal à une fille sans qu'elle puisse se défendre. Dans certains milieux, dès qu'une fille a un partenaire sexuel, qu'elle prend du plaisir ou se fait belle, elle risque de se faire traiter de salope. Même des filles qui n'ont pas de vie sexuelle scandaleuse risquent de se faire insulter. Si on a le malheur d'être entouré de gens qui se permettent de juger la vie des autres, il ne reste pas beaucoup d'espace pour vivre en accord avec ses désirs.

Il n'existe pas de salope

Mis à part certains humains qui ont pris la décision de réprimer leurs pulsions, pour des raisons religieuses ou suite à un traumatisme par exemple, l'ensemble de la vie sur Terre est en quête d'une sexualité épanouie. Les femmes y ont droit autant que les hommes. Une fille a le droit de décider de coucher le premier soir ou pas. Elle prend sa décision en fonction de ses envies et de la confiance qu'elle a en son partenaire. Elle a le droit d'enchaîner les conquêtes ou pas, de faire l'amour avec gourmandise ou timidité, suivant son caractère. Les filles – comme les garçons – ne sont pas salies par le sexe, et elles ont le droit de céder à leurs pulsions. Il n'existe pas de salope, dans le sens où personne ne doit être insulté parce qu'il mène sa vie sexuelle comme il l'entend.

Qu'est-ce qu'une "bonne salope" ?

L'autre versant de la "salope" est qu'il faudrait quand même que les filles le soient un peu, histoire de ne pas passer pour des godiches. Et là, ça devient carrément compliqué. Ce mot, quand il est utilisé comme dans les films pornos, désigne une fille qui est prête à se plier à toutes les envies des garçons. Il existe bien sûr des filles qui aiment cette sexualité-là, mais il y en a surtout beaucoup qui se sentent obligées d'agir ainsi par peur de ne pas être assez "bonnes". Alors à toi de prêter attention à tes véritables désirs ou à ceux de ta copine.

Être une fille bien et aimer le sexe

Il faut te sortir de la tête les caricatures de "la maman" et de "la putain". Elles font croire qu'une bonne mère de famille n'aurait pas le droit de s'éclater au lit, et qu'une femme pour laquelle le sexe est important ne pourrait pas être une bonne épouse ou une bonne mère. C'est complètement faux. Chaque fille traversera des périodes pendant lesquelles elle se sentira plus ou moins aventureuse et plus ou moins romantique. Avoir une vie sexuelle intense peut tout à fait coexister avec le fait d'avoir un métier, un époux et des enfants. Comme les garçons, en fait.

LE DANGER DERRIÈRE L'INSULTE

Le terme "salope" est très dangereux quand il est utilisé pour justifier les violences sexuelles. Une salope serait une fille qui aime le sexe, donc on pourrait lui faire ce que l'on veut. Ce raisonnement est atroce, et la cause d'énormément de souffrances. Il y a une très grande différence entre quelqu'un qui choisit ses partenaires et ses pratiques sexuelles, même osées, et une personne considérée comme "violable" sous prétexte "qu'elle aime ça". Tu ne dois pas tenir ce discours, ni admettre que quelqu'un le tienne. Tout le monde doit pouvoir choisir avec qui, où, quand et comment il fait l'amour. Un viol peut détruire la victime, qu'elle soit novice ou expérimentée, et personne ne mérite cela.

QU'EST-CE QU'UN VIOL ?

Quand on fait l'amour, on accorde à l'autre le droit d'entrer dans son intimité. C'est un choix que l'on fait parce qu'on en a envie. Personne n'a le droit d'avoir un rapport sexuel avec quelqu'un qui ne le veut pas ou qui n'en manifeste pas l'envie. Il est arrivé que des personnes accusées de viol se défendent en assurant que la victime n'avait pas clairement dit non. C'est prendre le problème à l'envers. Pour faire l'amour, il faut que toi et ton/ta partenaire ayez dit, ou montré activement, que vous aviez envie d'une relation sexuelle.

Tout acte de pénétration sexuelle imposé à autrui avec violence, contrainte, menace ou par surprise est un viol, qu'il s'agisse d'une pénétration vaginale, anale ou d'une fellation. On peut aussi violer avec les doigts ou un objet. Il existe d'autres types d'atteintes sexuelles qui sont considérées comme des délits et punies par la loi, comme une masturbation imposée, l'exhibitionnisme, le harcèlement sexuel...

De nombreuses situations différentes

Un viol ne correspond pas forcément à l'image que l'on s'en fait. La situation de l'inconnu dans la rue qui agresse une jeune fille en jupe qui hurle et se débat est assez rare. Dans la réalité des faits, la majorité des victimes de viol connaissent leur agresseur, et la plupart des viols se déroulent chez la victime ou chez l'agresseur. Il arrive parfois que des hommes soient victimes de viols, et que des femmes soient auteurs de violences. Si, dans un couple, l'un force l'autre à avoir une relation sexuelle à un moment où il n'en a pas envie, on parle alors de viol conjugal (même si le couple n'est pas marié). Enfin, un rapport sexuel entamé d'un commun accord peut aussi virer au viol, si l'un des deux partenaires impose à l'autre une pratique sexuelle dont il n'a pas envie.

Et si la victime ne s'est pas débattue ?

Assez peu de victimes se défendent lors d'un viol. C'est une réaction courante, humaine, qui est causée par la peur. Le cerveau est comme tétanisé. On appelle cet état la sidération. Et puis il y a d'autres raisons de ne pas se défendre, si l'agresseur est armé ou qu'il a de l'autorité sur sa victime, ou si une relation sexuelle est imposée à une personne qui dort, qui est droguée ou alcoolisée. On ne mesure donc pas un viol au fait que la victime se débatte.

Des victimes qui s'en veulent

La particularité des agressions sexuelles est que les victimes culpabilisent énormément. "Pourquoi me suis-je mis(e) dans cette situation ? Étais-je trop provocant(e) ? Est-ce que tout ceci n'est pas un peu ou totalement de ma faute ?" sont des questions courantes, mais il ne faut pas croire que les viols ont lieu à cause de la victime. Un violeur ne passe pas à l'acte à cause d'une jupe trop courte, mais par envie de faire du mal. En conséquence, on trouve des victimes des deux sexes, de tous les âges, et l'on peut se faire violer en tenue de ski comme en bikini.

Le plaisir involontaire

Un homme violé qui aurait eu une érection, voire une éjaculation, ou une femme violée qui aurait mouillé, voire eu un orgasme, ressentent souvent une grande honte. Pourtant, quand les parties génitales sont stimulées, elles sont programmées pour avoir ces réactions, donc cela peut arriver aussi pendant un viol. Ce réflexe est même très protecteur chez les femmes, puisqu'un vagin lubrifié risquera moins de lésions. L'agresseur reste le coupable, et la victime n'a aucune responsabilité, même si son corps a eu des réflexes de plaisir.

SOUTENIR UNE VICTIME

Chaque victime réagit comme elle le peut
et le soutien de son entourage
est primordial. Il faut tout d'abord croire
ce qu'elle dit, et l'aider à ne pas
culpabiliser. Il ne faut pas la forcer
à raconter si elle ne le souhaite pas,
mais être là pour écouter si elle le désire.
Si une personne a été victime d'un viol
et qu'aucun préservatif n'a été utilisé,
il faut l'adresser au plus vite aux urgences.
De même si elle est blessée. Et enfin, il faut
l'encourager à porter plainte et à contacter
une association de soutien aux victimes
de violences sexuelles. Quelle que soit
sa réaction, il ne faut pas la juger. Certaines
vont s'effondrer, d'autres non. Certaines
voudront oublier, d'autres non. Il n'y a pas
de bonne ou de mauvaise réaction. Chacun
fait ce qu'il peut avec ce qu'il est, et mérite
d'être soutenu dans sa démarche.

- GLOSSAIRE -

69 : position sexuelle dans laquelle les partenaires sont tête-bêche, chacun pratiquant des caresses bucco-génitales sur l'autre.

Aphrodisiaque : qui stimule le désir sexuel.

Canon de beauté : ensemble de caractéristiques considérées comme des marques de la beauté à une époque précise.

Coït : rapport sexuel entre deux personnes.

Contraceptif : dispositif, physique ou hormonal, permettant d'empêcher la venue d'une grossesse suite à un acte sexuel.

Cunnilingus : pratique sexuelle consistant à stimuler le sexe d'une femme avec la bouche.

DIU (dispositif intra-utérin) : autrement appelé "stérilet", c'est un contraceptif en forme de T placé dans l'utérus. Il existe des stérilets avec ou sans hormones contraceptives.

Éjaculation : émission de sperme par le pénis suite à une stimulation sexuelle. On parle d'éjaculation faciale quand le sperme est projeté sur le visage du/de la partenaire.

Érection : durcissement et redressement du sexe masculin.

Fantasme sexuel : rêverie éveillée pendant laquelle on se représente des situations sexuellement excitantes.

Fellation : pratique sexuelle qui consiste à introduire le pénis dans la bouche d'un(e) partenaire.

Féminisme : mouvement social et politique qui vise à atteindre un traitement égalitaire des hommes et des femmes par la société.

Gland : extrémité du pénis. Chez les garçons non circoncis, le gland est recouvert, au repos, du prépuce. Au bout du gland, un orifice, le méat urinaire, permet la sortie de l'urine et du sperme.

Implant contraceptif hormonal : petit bâtonnet que l'on place sous la peau et qui diffuse des hormones contraceptives.

Infertilité : impossibilité physique de procréer.

IST : infection sexuellement transmissible, autrefois appelée MST (maladie sexuellement transmissible) ou maladie vénérienne.

Kamasutra : ouvrage illustré indien ancien traitant des différentes facettes de la vie intime. Il est connu pour proposer tout un catalogue de positions sexuelles.

Libertin : de nos jours, les personnes qui se définissent comme libertines sont celles qui pratiquent une sexualité plus libre que les conventions habituelles ne le prescrivent.

Libido : autre nom du désir sexuel.

Liquide pré-éjaculatoire : liquide visqueux et incolore émis juste avant le sperme qui lubrifie la verge.

Machisme : système de pensée qui considère que les hommes sont supérieurs aux femmes.

Ménopause : période de l'arrêt définitif des règles chez une femme, qui signe la fin de sa capacité physique à procréer.

Mouiller : ce que l'on appelle communément "mouiller" correspond, chez les filles, à une lubrification du vagin suite à une excitation sexuelle. Le liquide émis s'appelle la cyprine.

Muqueuse : nom donné au tissu qui tapisse les parois internes du corps humain.

Orgasme : summum du plaisir sexuel.

Pénétration sexuelle : acte d'introduire un sexe, un doigt ou un objet dans un orifice du corps (vagin, anus, bouche) à des fins sexuelles.

Point G : zone du vagin supposée être particulièrement sensible aux stimulations sexuelles.

Procréation : principe de créer de nouveaux individus à partir des cellules reproductrices de leurs deux parents.

Pubère : état d'une personne qui a fini sa puberté, dont les organes reproductifs ont fini leur développement.

Psychanalyse : méthode d'investigation psychologique.

Scrotum : poche de peau qui protège les testicules.

Sensualité : capacité à se laisser aller au plaisir des sens.

Sextape : vidéo d'une relation sexuelle privée.

Sextoy : objet servant à stimuler sexuellement les parties génitales.

Sodomie : pratique sexuelle consistant à introduire quelque chose (sexe ou objet) dans l'anus.

Sperme : liquide émis lors d'une éjaculation et contenant les spermatozoïdes.

Stéréotype : caricature d'un groupe de personnes qui ne retient que quelques traits généraux et efface les détails particuliers.

Testicules : organes situés sous le pénis, à l'intérieur du scrotum, qui produisent les hormones sexuelles et le sperme.

Triolisme : rapport sexuel impliquant trois personnes.

Vagin : organe qui fait partie du système reproducteur interne des femmes, et qui relie la vulve à l'utérus. Le vagin recèle des terminaisons nerveuses qui permettent de ressentir du plaisir sexuel quand on les stimule.

Verge : autre nom du pénis.

Vulve : partie externe du sexe féminin qui comprend les petites et grandes lèvres, le clitoris et le méat urinaire.

- QUELQUES LIENS UTILES POUR ALLER PLUS LOIN -

Attention ! Beaucoup de fausses informations circulent sur internet, particulièrement quand on parle de sexualité ! Si tu cherches à te renseigner plus en détail, choisis bien les sites que tu consultes. Voici une liste de sites fiables, sur lesquels tu es sûr(e) de trouver des informations vérifiées.

1. Pour trouver des informations sur la sexualité, la contraception et la santé sexuelle, et poser tes questions à des spécialistes :
www.planning-familial.org
www.filsantejeunes.com
www.onsexprime.fr

2. Pour comprendre comment on fait l'amour :
www.educationsensuelle.com

3. Pour te renseigner à propos de la contraception :
www.choisirsacontraception.fr

4. Pour te renseigner sur l'interruption volontaire de grossesse :
www.ivg.gouv.fr

5. Pour te renseigner sur les infections sexuellement transmissibles :
www.info-ist.fr
http://www.lekiosque.org

6. Pour te renseigner et trouver le centre de dépistage anonyme et gratuit le plus proche de chez toi :
www.sida-info-service.org

7. Pour parler d'homosexualité, de bisexualité, de transsexualité ou d'intersexualité :
www.ligneazur.org
http://www.sos-homophobie.org
http://www.lekiosque.org

8. Si tu es victime de violences, ou que tu soutiens une personne victime de violences :
www.jeunesviolencesecoute.fr
www.allo119.gouv.fr
www.stop-violences-femmes.gouv.fr
www.cfcv.asso.fr

Remerciements :

Merci à Philippe Brenot, Danièle Gaudry, Michel Defosse
et Céline Bayac pour leurs relectures exigeantes.

Merci à tous ceux qui m'ont confié leurs questionnements
intimes et raconté leur vie sexuelle. Leur expérience
a nourri ce livre.

Merci à mes collègues, pour cette ambiance de travail
favorable et ces discussions hautement informatives
sur les orgasmes anaux.

Merci à mes proches, amis et famille, pour leur confiance
et leur soutien indéfectible.
Merci à toi Sam, merci pour la force et pour l'amour.
Merci à Gaspard, mon fils, grâce à toi la vie est plus précieuse.
Je vous aime.

Éditrice : Isabelle Péhourticq assistée de Marine Tasso
Directeur de création : Kamy Pakdel
Maquette : Christelle Grossin
 – ISBN 978-2-330-06312-2
Loi 49-956 du 16 juillet 1949 sur les publications destinées à la jeunesse
Reproduit et achevé d'imprimer en avril 2016 sur les presses de Champagne (Langres)
pour le compte des éditions ACTES SUD, Le Méjan, Place Nina-Berberova, 13200 Arles
Dépôt légal 1re édition : mai 2016 – Imprimé en France